# 嘭！哲学史超有趣

Cool Philosophy

[英]丹尼尔·塔塔尔斯基 著
[英]达米恩·维西尔 绘
何雨珈 译

云南出版集团
云南美术出版社

# 目录

# 欢迎来到《嘭！哲学史超有趣》

哲学谜题那么多，我有个特别喜欢的，讲的是一个家伙，买了几双袜子。

这位仁兄过得很节俭，所以有只袜子破了洞，他没有丢掉，而是把袜子补好了。他很满意自己的手工，袜子看起来就像新的一样。过了段时间，他发现袜子又破了个洞，就又一次拿起针线。他真的很喜欢这些袜子，接下来的三十年，总有袜子破洞，他就总是缝缝补补。一天，他看着自己最喜欢的这些袜子，发现全是补丁，原来的袜子一点都没剩下。那么现在哲学问题就来了：这还是他多年前买的那些袜子吗？

我们的皮肤、骨头，所有组成肉身的一切，都是在不断变化、不断新陈代谢的。所以，读着这本书的你，和刚出生那天的你，已经是完全不同的两个人了。你和袜子一样，被打了很多补丁。那么，你还是多年前出生的那个你吗？是什么让你成为你的呢？是你的肉体：皮肤包裹成形的骨头、血液和器官，外加毛发？还是你的思想、语言和行为呢？

如果你曾经想过“我为什么要那样做呢”或者“这有什么意义呢”，那你已经是个哲学家了。你不一定要知道这些问题的答案，只需要对自己、别人的生活有足够的兴趣，提得出这些问题。

哲学上有很多像袜子谜题一样的问题，能让你想破头，因为这些问题通常没有所谓的“正确”答案。其实呀，这就是哲学的有趣之处呢：没人能说你是错的。

人类刚刚开口说话的时候，这个世界上就有哲学家啦。所以我们要学的还有很多很多。但是别着急，慢慢来，给自己一个机会，把各种问题都想个清楚明白。我们的重点不是要去终点，而是要从起点出发。

世间最活跃的就是思想，它能畅游全宇宙。

——泰勒斯（世上第一位哲学家）

# 哲学是什么？

像地理、数学、历史等大多数学科，都很好下定义，但哲学就比较难说出个明确的一二三四，因为这个学科范围太广，几乎涵盖了我们所做的一切。给哲学下定义，有点像戴着拳击手套，还要把雾织成衣服……不过嘛，我们就来试一试吧。

苏格拉底（详见第 18 页）说过，“未经审视的人生不值一过”，这简简单单的一句话恰好能作为哲学的总结。有些人还说，正是哲学，把我们人类和其他生物区分开来。只有人类，才会去思考生命有什么意义，思考出生、活着、最终死去有什么意义。笛卡尔（详见第 44 页）比苏格拉底走得更远。他有句名言，“我思故我在”，意思就是，思考是这个世界上唯一无法被质疑的东西。到这里已经能看得比较清楚了，哲学让我们成为人类，让我们成为我们，没有哲学，我们什么都不是。

哲学分为三大块：形而上学、认识论和伦理学。简单解释一下，分别为是什么、我们知道什么和为什么要做我们做过的事。哲学的有趣之处在于，你不实践的话，是不可能真正去研究这门学科的。

是什么，这个问题在没进行仔细分析之前，答案好像还挺显而易见的。桌子就是桌子，但再加上一块木板，它就变成了椅子；或者把四个腿都锯掉，它就变成了一块板。我们曾经以为地球是方的，后来发现其实是圆的。我们曾经以为一切都围绕着地球转，后来发现其实是地球绕着太阳转。那么，我们怎么就能肯定，现在觉得理所当然的事情，将来不会被新的知识所取代呢？

我不能教会任何人任何事，我只能让他们思考。

——苏格拉底

苏格拉底那句话当然说得很对，所以，这本书应该不会翻来覆去只给你讲一个道理。希望书里的内容，能够引发你的思考，也许还能启发你问出一些在翻开这本书之前从来没想过的问题。再送一句苏格拉底的箴言，带你开始这美妙的哲学之旅吧！

唯一真正的智慧，
是知道自己一无所知。

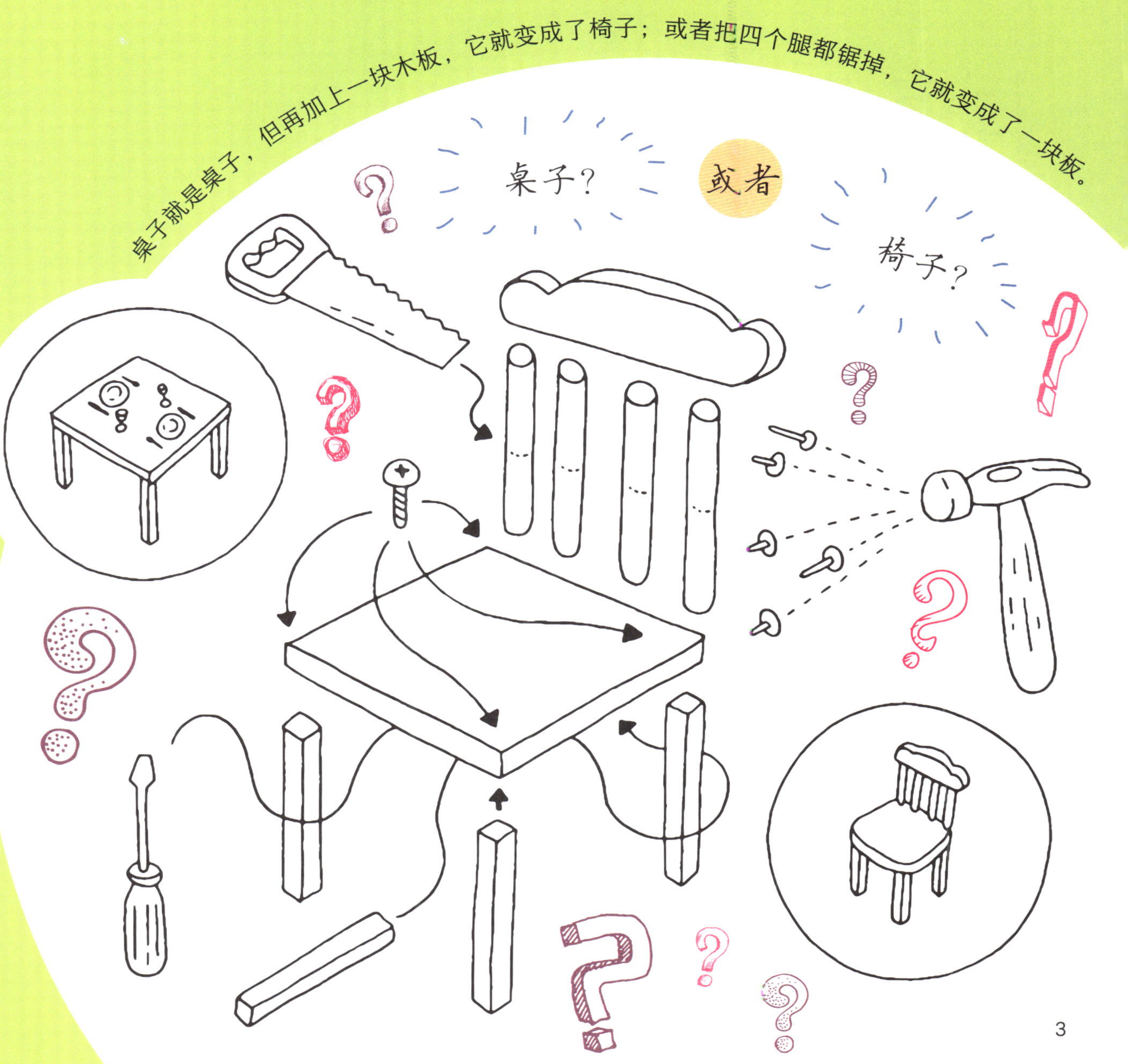

# 哲学年表

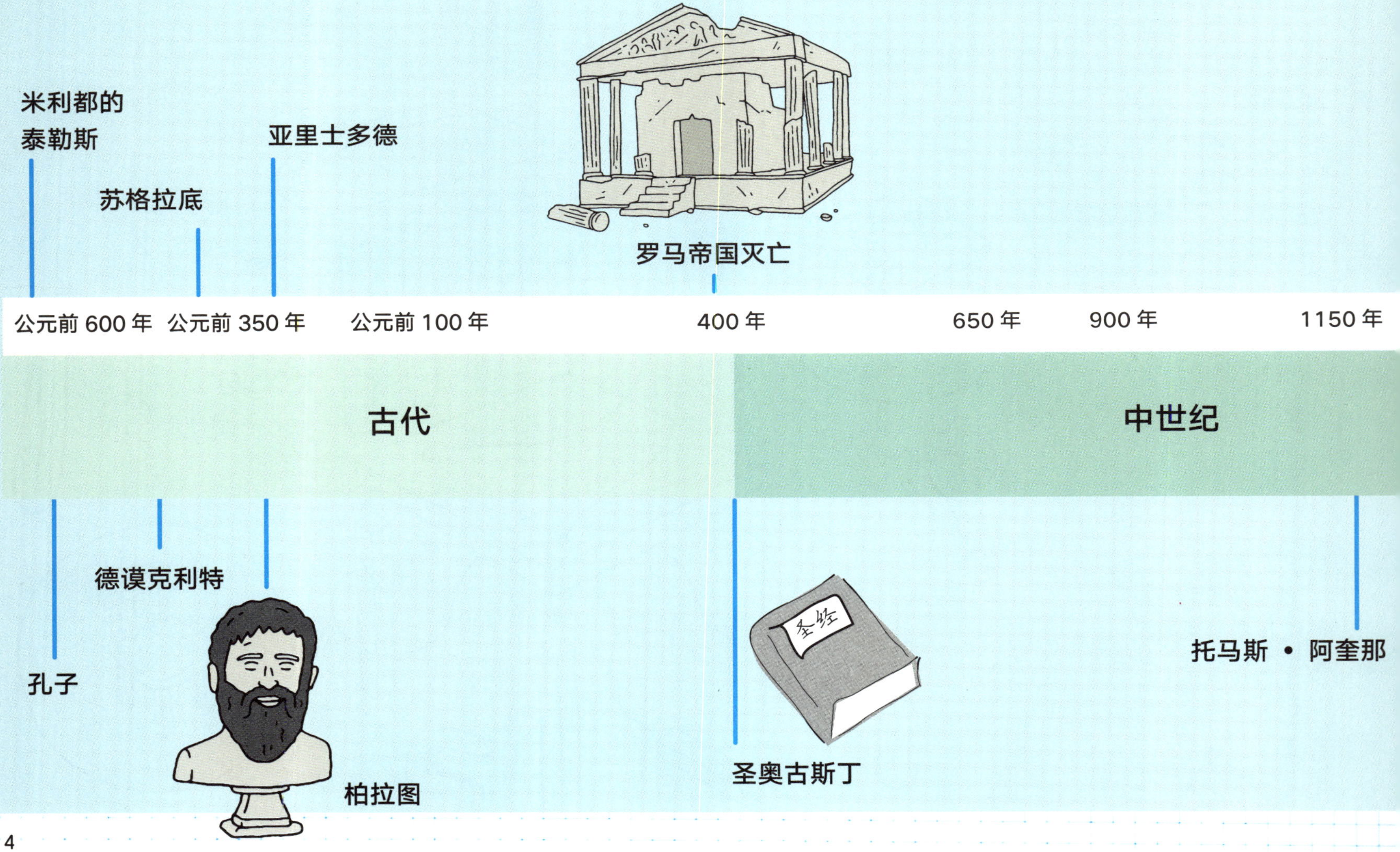
米利都的
泰勒斯
苏格拉底
亚里士多德
罗马帝国灭亡
公元前 600 年
公元前 350 年
公元前 100 年
400 年
650 年
900 年
1150 年
古代
中世纪
孔子
德谟克利特
柏拉图
圣经
圣奥古斯丁
托马斯 • 阿奎那

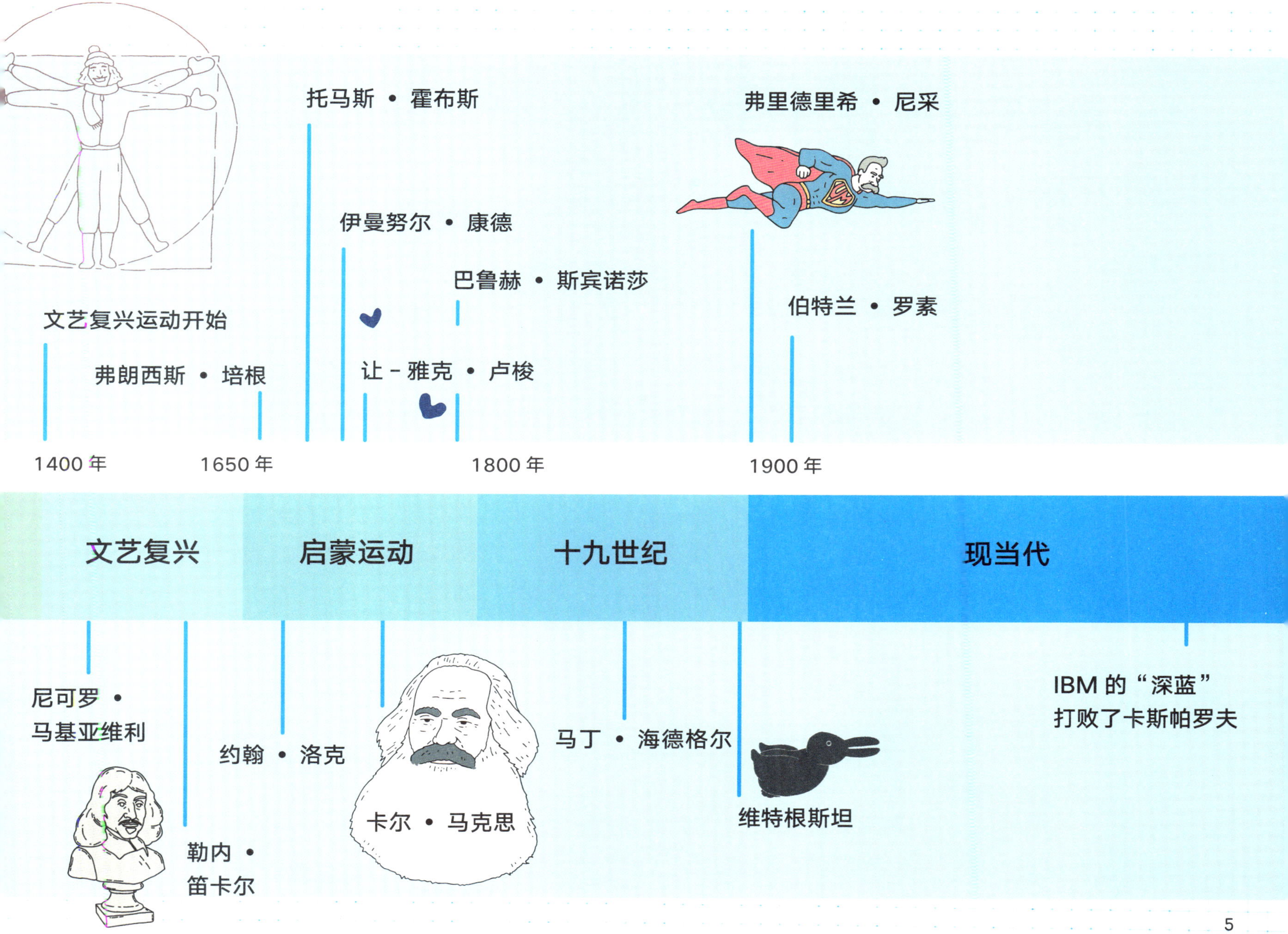
文艺复兴运动开始
弗朗西斯 • 培根
托马斯 • 霍布斯
伊曼努尔 • 康德
巴鲁赫 • 斯宾诺莎
让 - 雅克 • 卢梭
弗里德里希 • 尼采
伯特兰 • 罗素
1400 年
1650 年
1800 年
1900 年
文艺复兴
启蒙运动
十九世纪
现当代
尼可罗 •
马基亚维利
勒内 •
笛卡尔
约翰 • 洛克
卡尔 • 马克思
马丁 • 海德格尔
维特根斯坦
IBM 的“深蓝”
打败了卡斯帕罗夫

# 从哪儿开始的？
# 古时候的哲学

**没有语言，就没有哲学。只有通过语言进行复杂交流，才慢慢发展出了这本书中所描述的伟大智慧。**

有能力进行交流，做复杂的思考，这是一回事；不过，是什么让人类提出了最早那些伟大的哲学问题呢？最初的几个世纪，我们脑子里想的重要问题，只有“下一顿饭怎么办”和“今晚睡哪儿”，我们一直没有固定的家园，跑来跑去的，四处打猎，采集点东西，哪儿有吃的，我们就去哪儿。但到后来，我们学会了种田，再也不用跟着食物四处转悠了，于是就有了最早的定居点。这些定居点附近都有水源和肥沃的土地。定居点建起来了，就会吸引更多的人，变得越来越大。很多很多人聚集在永久定居点后，语言也就慢慢变得相通了。

本来呢，有了永久定居点，生活就应该稳定下来了，但这其中仍然有很多未知数。不同的文明诞生、发展又消失；城市繁荣之后又衰落……从人类进化的角度讲，速度都挺快的。有时候，似乎我们的生活和这个世界都在掌控之中了，但过一段时间，又发生巨大的变化。这种状况，让人们问出了第一个哲学问题：什么是永恒的，什么是变化的？

万事万物随时随地都在变化。你可能会去泰晤士河游泳（当然啦，你要住得近，还不怕河里来来往往的船）。然而，这条河虽然名字一直都叫“泰晤士河”，却每天都在流动，在变化，不是同一条河了。河水不一样了，周围的空气不一样了，就连你也不一样了。

**思考时间**

有永恒不变的东西吗？要回答这个问题，你可能先要弄清楚“永恒不变”是什么意思。

人不能两次踏进同一条河流。

——赫拉克利特

# 前苏格拉底学派
# 水，到处都是水

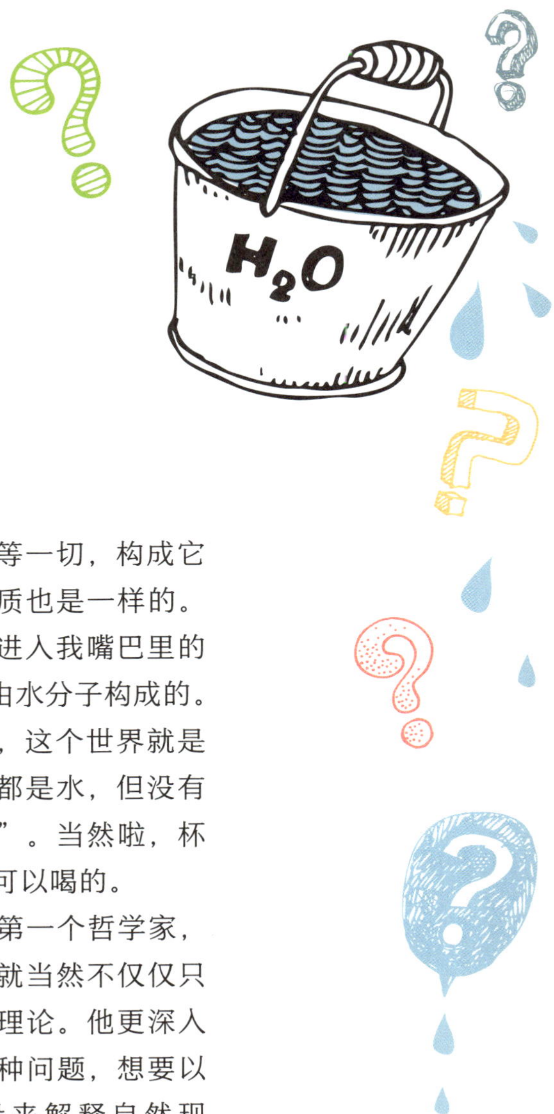


**哲学中提出和试图回答的问题并没有标准答案，这是哲学的美，也是哲学的难。我们都知道，数学讲究准确，2+2=4。但哲学呢，从来都不是这么直接的。**

第一个哲学问题是，什么是永恒的，什么是变化的？为了回答这个问题，生活在米利都的泰勒斯选择求助于水。很多人认为，泰勒斯是古希腊第一个哲学家。他最著名的理论是一个假说：万物的本源都是水。从很多方面看，这个假说都好像很有道理：这个世界上到处都是水。水从天上落下来，填满海洋；人、动物和植物之中也含有水；水还能变成气体、液体和固体。

但这个假说能够回答咱们的问题吗？还是只不过又增加了一个新问题？一个东西的状态改变了，还是同一个东西吗？一杯水冻成了冰，还能说这是原来那杯水吗？如果这杯冰又化了，在阳光下加热蒸发，变成气体，还是最开始的那杯水吗？

于是，泰勒斯就说了，如果我喝了一杯水，构成杯子和水的基本物质是一样的。我的手和嘴等等一切，构成它们的基本物质也是一样的。就连从杯子进入我嘴巴里的空气，也是由水分子构成的。他的原话是，这个世界就是“水，到处都是水，但没有一滴可以喝”。当然啦，杯子里的水是可以喝的。

作为世界上第一个哲学家，泰勒斯的成就当然不仅仅只有关于水的理论。他更深入地去探索各种问题，想要以合理的假设来解释自然现象。比如，他认为，地球表面是漂浮在水上的。发生地震，是因为水冲击了大地。

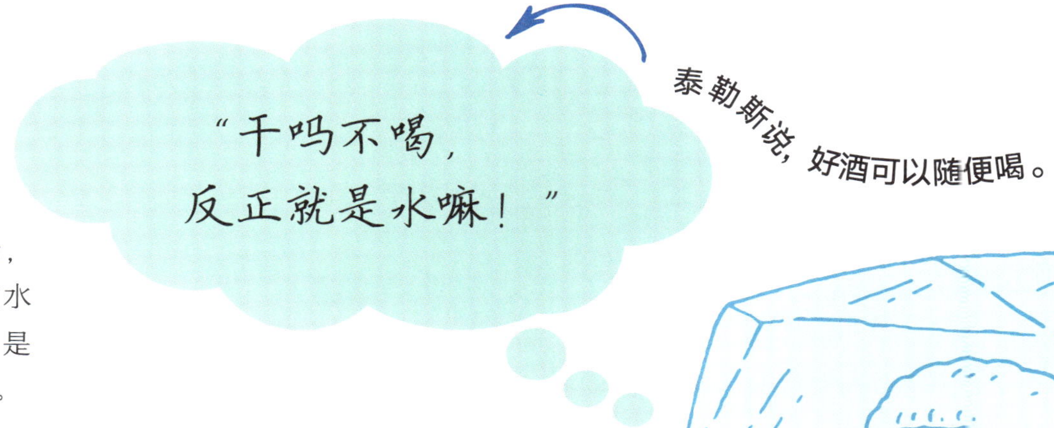


## 米利都的泰勒斯五个冷知识

1. 他是第一位古希腊数学家。
2. 他引导毕达哥拉斯创立了毕达哥拉斯理论。（详见第 16 页）
3. 他发现了日食的成因。
4. 他证明了泰勒斯定理（在圆的直径上的内接三角形一定是直角三角形）之后，当场宰了头牛感谢神灵。
5. 他可能是第一个提出地球是个球体的人（也可能不是，就看你相信谁的说法了）。

# 原子论哲学家
# 留基伯和德谟克利特

希腊语里的“原子”这个词，意思是“不可分割”。在古代，人们觉得这种微粒就是世界上最小的物质，于是留基伯、德谟克利特和他们的追随者，就提出了“原子论”，认为万事万物都是由原子和原子之间的空间构成的。

万物之中都存在同类的部分。

——阿那克萨戈拉

这些原子可以不受限制地以各种密度组合成各种不同的形状，这样就有了我们，有了我们周围的一切，也造成了万事万物不断变化的状况。原子之间的空间，形成了实体的世界，如果其中没有原子，就成了“虚空”。这个理论的基本观点是，物体可以被无限分割，变成原子后再创造出其他不同的东西。哲学家芝诺反对这个理论，提出了他的“阿基里斯和乌龟”悖论。他认为无限分割是不符合逻辑的，并且提出了自己最著名的一个悖论，来反驳这种理论。（详见第15页）

芝诺和自己的哲学家同行们唱反调的重要意义在于，这标志着哲学开始成为一门学科，伟大的思想家们会互相争论，试图找到对方观点中的漏洞。这意味着，哲学成为了一门供研究和辩论的学科。

### 冷知识

直到1917年，我们才发现，原子也是可以分割的。这要归功于科学家欧内斯特·卢瑟福。

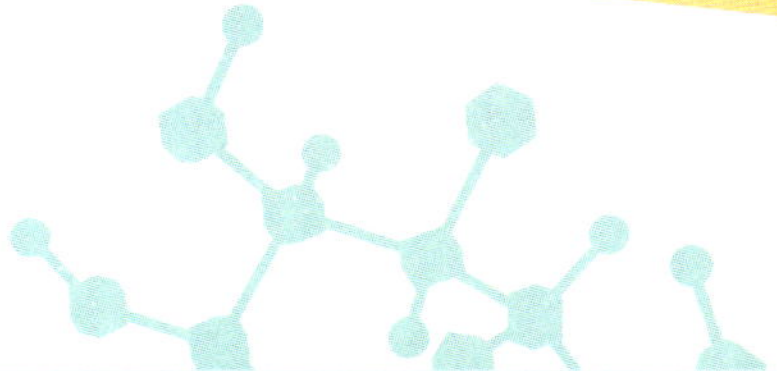

### 思考时间

1月1号，你过生日，收到别人送的一盒酸奶。生日当天你吃了一半，1月2号吃了剩下一半的一半，以此类推，一直到吃完。那你究竟哪天能吃完这一盒酸奶呢？在这里我们就不考虑保质期的问题啦。

# 孔子之道

**希腊是西方哲学基石的中心；中国则是东方哲学的起点。西方有苏格拉底，东方有孔子。孔子研究论述的重点，主要是如何培养与造就一个理想的“人”。他相信，人是可以通过接受教育和训诫，逐步发展自身的。他甚至还认为，人可以达到完美的境界。到今天，我们还在等着达成他说的这最后一步呢！**

三人行，必有我师焉。择其善者而从之，其不善者而改之。

——孔子

孔子的教义特别强调家庭和自身的修为发展，没有宗教色彩，却很有世俗意义。所以，西方早期的哲学家们冥思苦想的问题，是事物如何存在，为什么存在，人类为什么有种种行为；而孔子则对我们如何改进自身更感兴趣。他有很多被一再引用的名言，都是关于这个主题的。现代的运动心理学当中都经常能发现孔子的思想：

己所不欲，勿施于人。

见贤思齐焉，见不贤而内自省也。

孔子的思想系统一共有五大柱石：仁、义、礼、智、信。好玩的是，虽然孔子的思想与宗教无关，但如果你从宗教的角度来看这些概念，似乎也没什么不合适。

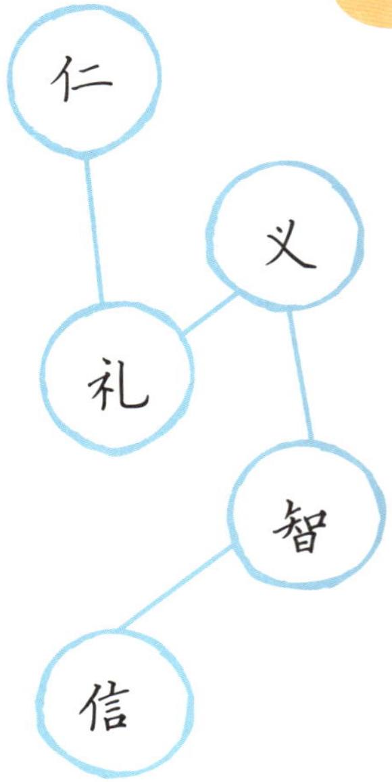

## 孔子生平

- **出生** 公元前551年
- **2岁** 孔子的父亲——一位武士——去世了
- **18岁** 成婚
- **23岁** 母亲去世
- **24岁** 开私塾，做老师
- **50岁** 被封为大司寇（大法官）
- **55岁** 失去官位，重新开始教学生涯
- **72岁** 去世

# 芝诺悖论

**最早那群伟大的哲学家们，用他们尚未成熟的原则理念，努力去解释和更进一步地了解现实世界。芝诺则反其道而行之，用现实世界中的事情，来强调我们并不总是能通过哲学获取对生活的正确观察和感知。**

芝诺出生在埃利亚，即现在的意大利南部。他最为后人所称道的，是提出了一系列悖论。在这些悖论中，他向那些既定的思想开炮，用逻辑来说明这些理念的荒谬之处。

他有个“飞矢不动”的悖论，论证飞行中的箭其实是静止的。他的论点是，飞箭在任何一个瞬间必定处在某个点上，而在这个点上，飞箭是静止的，所以，在那个瞬间，飞箭也必定是静止的。

他最著名的悖论是“阿基里斯和乌龟”。芝诺说，无论阿基里斯跑多快，永远也追不上乌龟。因为等他到达乌龟曾经到过的地方，那只乌龟已经跑得更远了。芝诺的这个悖论是为了强调“万物都可以无限分割”的荒谬。

**思考时间**

很多时候，哲学里面都要用到“思维试验”，所以你不用去找一个真的乌龟和跑步健将，只要在脑子里想想就好了。跑步健将追上乌龟了吗？你确定吗？

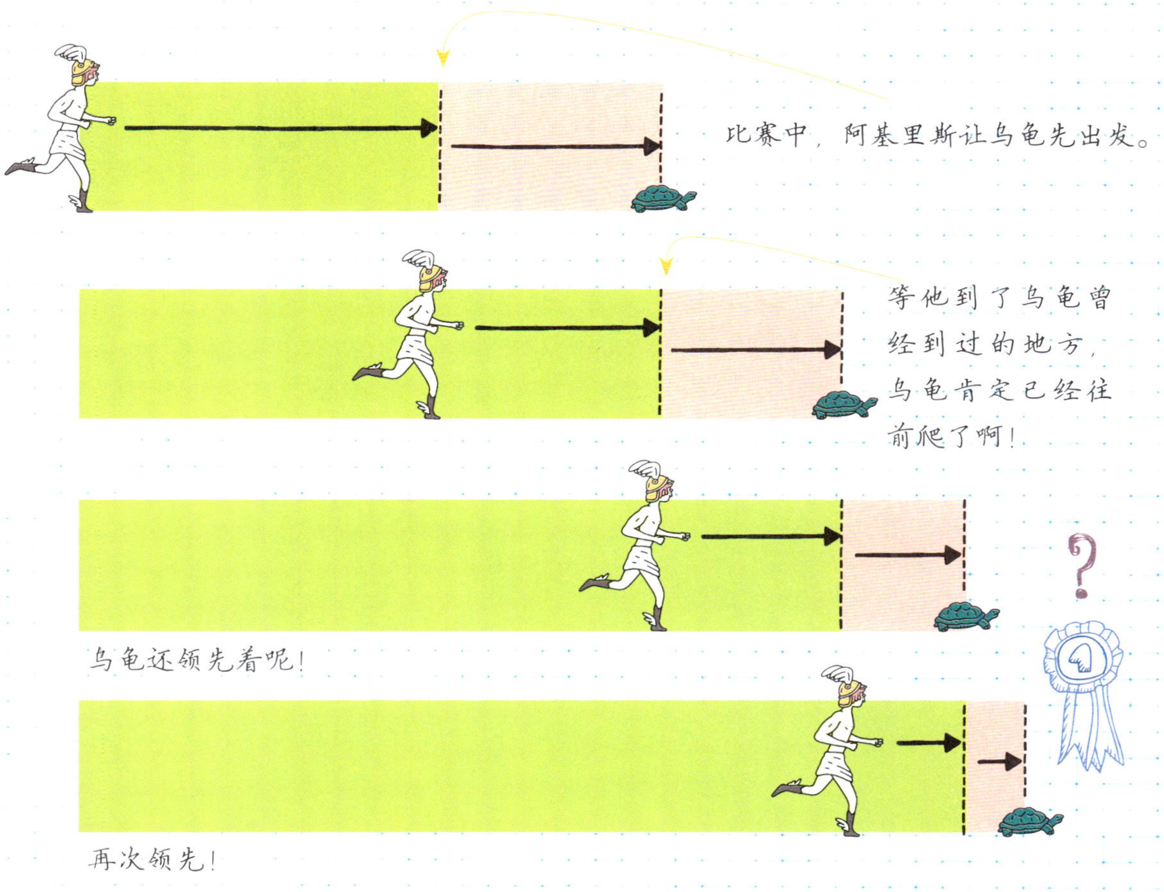


芝诺的悖论到现在还引起种种争论。1895年，刘易斯·卡罗尔（他最著名的作品是《爱丽丝梦游仙境》）在名为《思想》的哲学期刊上发表文章，题为《乌龟对阿基里斯说了什么》。这听起来就像要讲个笑话，但他的态度非常认真。芝诺要解释一个逻辑原则，又得引用之前的原则，这就产生了难解的哲学问题，刘易斯就是想解释这个哲学问题。文章的开始，他就总结说，芝诺是错的，阿基里斯是可以追上乌龟的：

“阿基里斯追上了乌龟，舒舒服服地坐在乌龟背上。‘所以咱们已经比完啦？’乌龟说。‘虽然这里面包含着无限的距离，我还以为哪个自作聪明的家伙已经证明这是比不完的呢。’”

# 毕达哥拉斯
# 三角形和豆子

*在琴弦的哼唱中，有几何；在星球的空间中，有音乐。*

——毕达哥拉斯

一提到“毕达哥拉斯”这个名字，大家就会自然而然地想到三角形。有点像提起“胡佛”这个牌子，大家就会想到吸尘器。不过，你要是让谁解释一下毕达哥拉斯定理，对方可能一脸茫然。他在几何与代数领域的影响太大了，所以人们很容易就忘了，他对哲学的发展也做出了杰出贡献。

事实上，对他来说，数学是到达终极追求的一种方式，但数学本身并不是终点。他的终极追求是哲学，数学只不过是通向终极追求的一条路。

亚里士多德在《形而上学》中写道：“所谓的毕达哥拉斯学派，是率先用数学去研究哲学的。他们不仅在这种研究上走得很远，而且沉迷其中，认为数学的原理就是万物的原理。”这里有一个例子，毕达哥拉斯是第一个发现可以把音乐转换成数学符号的人。

要理解毕达哥拉斯定理，最简单的方式就是看右边这个图。定理认为，直角三角形中，长边的平方等于另外两边平方之和。

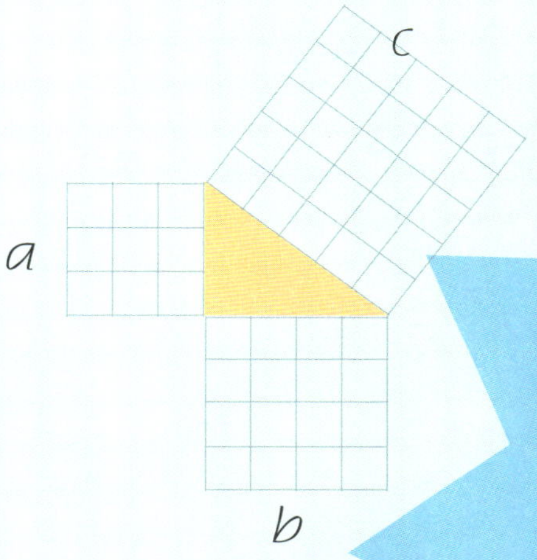


$$a^2+b^2=c^2$$

## 你知道吗？

毕达哥拉斯是个素食主义者，并且要求弟子们也必须吃素。他们不愿意吃肉的原因之一是，他们相信人类死后，灵魂会附在动物身上。所以，他们不但不吃肉，也不吃豆子，因为豆子展现了生命的潜力，人类的灵魂也能附在豆子上面。

**思考时间**

想想你生活中的数学。你的生活能相加吗？如果变成单纯的数字，你到底是什么样子呢？

# 苏格拉底 什么是“好”？

苏格拉底的父亲索佛洛尼斯科斯是个石雕匠人；一开始苏格拉底也跟着他拿凿子学手艺。后来他去参了军，跟着雅典军队参加了许多战役行动，大家都觉得他英勇过人。他把后来岁月中自己在道德上展现出的勇气，比作战场上的冲锋陷阵。他说，敌人还以为他辩论输了就会知难而退，怎么可能呢，在战场上他也从没退缩过啊。

### 你知道吗？

苏格拉底（公元前 469—前 399）一直被奉为“西方哲学的奠基人”之一。但他从来没写过关于这个话题的只言片语。他反对书写这种行为，认为把思想记录下来，反而会让他记不住。多亏了柏拉图、亚里士多德等继任者，他的思想才被记录下来，让我们知晓。但问题就在于（也就是通常所说的“苏格拉底问题”），转述别人的思想时，记录人一定会有意或无意地有遗漏或修改。比如，他真的说过“智慧始于求知”这句话吗？他可能说的是“智慧始于游荡”呢（“求知”wonder和“游荡”wander音形相近）。

作为哲学家的苏格拉底，非常看重道德品行。他的思想和教诲，都是试图定义不重视物质的“美好人生”。苏格拉底认为，美好人生，就是一辈子都在思考人生，自我反省，重视内心。从很多方面来说，这样活着都是很奢侈的，虽然这也会让你相对清贫。思考自己的存在是切莫碌碌无为。

——苏格拉底

很棒很好的，但作为旁人就不得不可怜他的老婆赞西佩了。她辛辛苦苦地养大三个儿子。丈夫说了那么多言简意赅的名言，可变不成上桌的食物啊。

苏格拉底有句名言，赞西佩对此有何反应，历史上已经没有记载了：

“一定要结婚。娶到好老婆，你会很幸福；娶到坏老婆，你会成为哲学家。”

苏格拉底是喝毒药死去的！

**思考时间**

要走上哲学家之路，你可以先想想今天做了些什么。把所有的事情、所有不经意的想法和行为都回忆一遍。回忆之后，问自己一个问题：我有没有更强烈地感受到人性？

# 柏拉图和现实的虚影

我们对苏格拉底的了解，大部分都要归功于他的得意门生柏拉图。他是青出于蓝而胜于蓝，但也没完全抢走那位长者的风头。而为了说明自己在苏格拉底的影响下所形成的核心理念，他利用了光线和光线产生的影子，这就有了著名的柏拉图“洞穴之喻”。

柏拉图既是哲学家，也是数学家；数学也成为他后来讨论的一个主题。数学是泾渭分明、很好解释的，而要解释这个世界，就会模糊麻烦很多，但两者之间显然是存在联系的。柏拉图生在雅典一个富贵的家庭，或许这个背景让他一出生就占尽优势。但在他很小的时候，柏拉图就痛失父亲。可能正是因为这场变故，他才成为了苏格拉底的忠实追随者。柏拉图通过想象老师苏格拉底和别人进行对话，以苏格拉底的言语写明自己的观点，表达了很多哲学思想。在这些对话中，柏拉图自己从来没出现过，只有苏格拉底在跟好些对手进行辩论，不断去弥补辩题在核心上的缺陷。但他提到的那些影子到底是什么意思呢？这个寓言故事里讲到一个洞穴，里面住着一群犯人，只能通过看火堆投射在面前洞壁上的影子来取得对生活的认识。他们对生命与现实的了解，都在那些影子当中。但他们不知道，这些都只是影子而已。柏拉图把哲学家也比作犯人，不同的是，他从洞穴里被放出来，发现自己过去所认为的现实，其实只是现实虚幻的影子而已。

智者说话，是因为有话要说；愚者说话，是因为不得不说。

——柏拉图

你知道吗？

公元前387年前后，柏拉图在雅典创建了雅典学院。这个学院跟今天我们概念里的学校不太一样，那是一个提出问题、讨论问题、偶尔能解决问题的地方。

名词解释

**寓言** 用讲故事的方式，来表达观点或说明道理。

**思考时间**

你觉得为什么有想说的话不直接说出来，而要讲个寓言故事呢？

# 斯多葛学派
# 芝诺和爱比克泰德

**要是塞浦路斯岛的芝诺是在他家的客厅或厨房里聚众讲学的，那这整场哲学运动的名字可能就不一样了。但他聚众讲学的地点，都在雅典集会广场的廊苑(希腊语发音为“斯多”)，就有了我们现在说的这个“斯多葛学派”啦。**

现代科幻电影创造的幻想世界中，有个幻想出来的人种，和斯多葛学派的体系特别像。那就是《星际迷航》中的瓦肯人。而瓦肯人中最著名的其实是个半人类半瓦肯人，斯波克。他最显著的特点，就是缺乏感情，特别讲究逻辑。斯多葛学派的代表人物爱比克泰德是奴隶出身，但主人允许他学哲学。他的名字在希腊语中意为“得到”或“后天获得”，看这样的早年经历，也无怪乎他会被斯多葛学派吸引了。他曾说过，“人们不是因为事物而烦恼，而是因为对事物的看法而烦恼”。

斯多葛学派认为，对于肉体和情感上的痛苦，要尽量淡漠，甚至忽略，这样就能获得某种自由。这个理论有个很经典的例子，一个名叫斯凯沃拉的罗马士兵，被伊特

鲁里亚人抓住了。他们威胁说，要用火来折磨他。结果这个士兵主动把手伸进了火里。尽管他心中怀着信仰，当时可能也被火烧得微微有点龇牙咧嘴。但他宣称，像他一样的人还有一千个。看到这么个刚毅不屈的罗马斯多葛派，抓他的人都叹服了。这能怪他们吗？

## 你知道吗？

罗马皇帝马可·奥勒留（161 年—180 年在位）就是个斯多葛派。他对皇位并不感兴趣，但因为对斯多葛派思想的信仰，他克服了困难，尽职尽责地工作。

> 唯有思维的力量无法战胜。
>
> ——塞涅卡

## 思考时间

我们都受过伤，通常都会痛得叫出声。但即使叫出声，疼痛也没有减轻，没有消失，那我们为什么还要叫呢？下次要是受了伤，你能想象自己不叫出来的样子吗？这能帮你更好地应对疼痛吗？

## 名词解释

**决定论**　相信某件事一定会发生，因为前面发生的一系列事情，不可避免地会导致这件事。

# 呃……
# 怀疑论者皮浪和他的猪

**一知半解，害人误己。这是句老话，很老很老的话。说这话的那群古希腊哲学家，被统称为“怀疑论者”。怀疑论者们所追求的境界，就是“ataraxia”。说得复杂点，就是“心平气和”；说得简单点，就是“冷静”。**

怀疑论者又分为两个阵营：学院派和绝对怀疑主义派（皮浪派）。学院派认为，学习知识是件不可能的事情。苏格拉底就曾说过，他唯一知道的，就是他什么也不知道。而学院派的代表哲学家阿塞西劳斯比他还更进了一步，说，两种截然相反的观点，都能给出很有力的论证，所以，我们不可能真正确知任何事情。我们甚至不能确定自己什么都不知道。皮浪呢，一点也不在意我们到底能或不能知道什么。他坚信，什么都不知道是最好的了。他的信仰可以用一句“无知是福”来概括。他讲了一个在暴风雨中坐船的猪的故事，来证明自己的观点。船上别的乘客都知道暴风雨会让船沉下去，他们会死，所以很怕，却毫无办法。而和他们一样毫无办法的猪，却因为不知道快要死了，而十分平静。这就是怀疑论者追求的人生境界啊。如果知识让你恐惧，那又有什么用呢？

**你知道吗？**

今天你说谁是“怀疑论者”，好像不是什么好话。但主张绝对怀疑主义的皮浪，却活到了九十岁高龄。所以嘛，有些事情他肯定还是做对了的。

他（皮浪）一生都坚守着自己的主义，从不逃避任何事物，从不做任何预设，而是直面一切扑面而来的危险，不管是马车、恶狗还是悬崖。

**——第欧根尼・拉尔修，《皮浪传》**

**思考时间**

你能得到的最棒的礼物，是提前预知自己的未来，还是对一生的命运一无所知？

**再思考时间**

现在，“怀疑论者”是指对已知观点提出质疑的人。而在古代哲学中，“怀疑论者”是否认求知可能的人。开动脑筋，想想从古代到现代，这个词的意义是怎么逐渐变化的。

# 亚里士多德的篮球呢？

拉斐尔在梵蒂冈的一堵墙上画了一幅壁画，叫《雅典学院》。这幅画是哲学的象征，因为里面有很多古希腊著名的思想家。壁画的正中间，是柏拉图和他的得意门生亚里士多德。

老师的右手食指垂直地指向天空，而学生的右手则往前伸着，手掌平摊，垂直地往地面方向压。喜欢运动的学者们开玩笑说，画家少给这两人画了两个篮球。柏拉图是在手指上转球，而亚里士多德是在地上拍球。

拉斐尔是想表现两人不同的投篮风格吗？当然不是啦。但他的确是想暗示两人的哲学理念不同。柏拉图指向天

求知是所有人的本性。我们感官上的愉悦就能指示这一点；即使求知没什么用，也因为其本身而被喜爱。

——亚里士多德

## 你知道吗？

亚里士多德是最早养蜜蜂的人之一。

空，重视那些理想化的模式；而亚里士多德看重那些存在于我们周围有形的世界中的，脚踏实地的真理和现实。他是哲学家，同时还是个生物学家。

亚里士多德的自然科学理论，一直流传了两千多年。这么多年过去了，他的思想仍然有着持续而深远的影响，而且依旧是颠扑不破的真理。

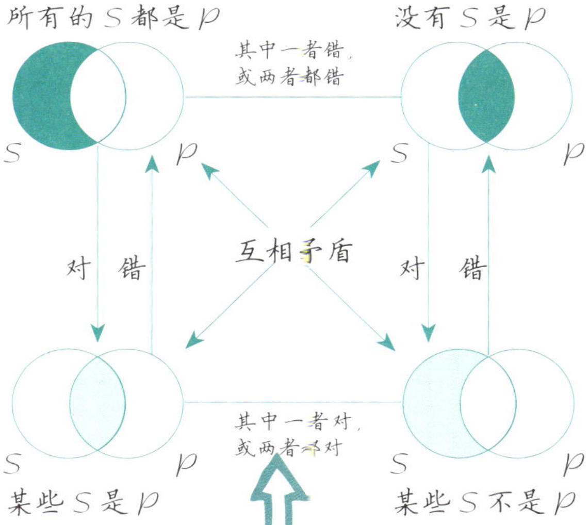


### 名词解释

亚里士多德的功劳之一，是创造了“三段论”。这是一种逻辑形式。但到底什么是“三段论”呢？就是由两个命题引出了结论，两个命题都和结论有交集，但其中一个命题的一部分不属于结论。明白了吗？没有？！那就看个例子吧。

苏格拉底是人。人都会死。所以苏格拉底也会死。

**思考时间**

你能自己说个“三段论”吗？

# 罗马的衰落和中世纪哲学的起源

罗马不是一天建成的；罗马帝国也不是一夜之间衰落的，而是在三世纪到五世纪之间的三百多年里（前后嘛也就差个一两天）逐渐走了下坡路，最后消失。这种改变对哲学的影响是很深远的，因为，正如自然界里无法容忍真空的存在，帝国陷落后的空虚中，野蛮人当了霸王。

野蛮人在这段空虚中横行霸道，对于哲学的重要影响在于，这个世界变得更混乱了。帝国原来奉行的严格规则消失了，那些又长又直的大道也消失了。那之后的一千年，哲学思想的发展非常缓慢，只剩下了宗教派的学者。他们都躲在修道院避难。也就是说，几乎所有的中世纪哲学，关注的重点都是证明上帝的存在。

“野蛮人”这个词在古代的意思就是“非希腊人”。他们来自四面八方，没有相同的基因和血缘。他们的文化中都没有书面文字，所以对他们的描述都是罗马人写的。罗马人就把他们简单地归为一类：不是我们。其中有匈奴人、哥特人、西哥特人、汪达尔人、盎格鲁人、撒克逊人以及法兰克人。给你一张地图，你能标出他们都来自哪里吗?

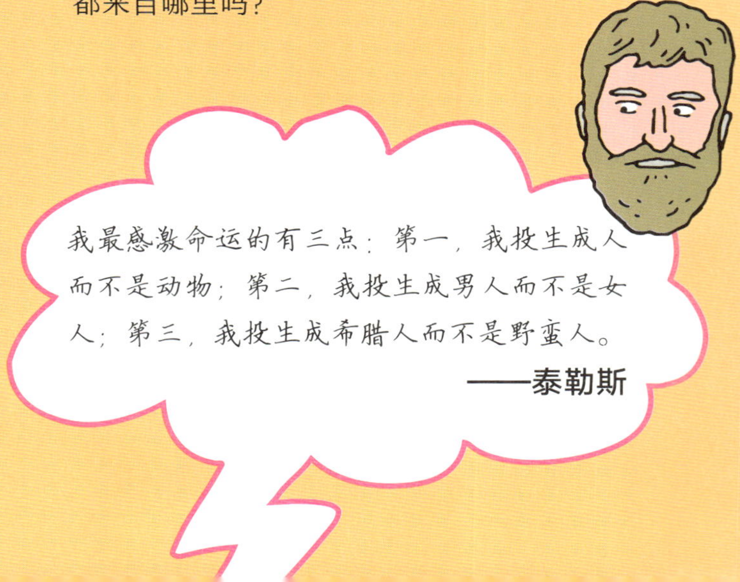

而对于野蛮人更现代的另一个定义，是“没有文化的人”：不学习知识，也没有钻研精神，不愿意思考问题。那么，这段时间成为宗教哲学之外所有哲学的休眠期，也就不值得大惊小怪了。

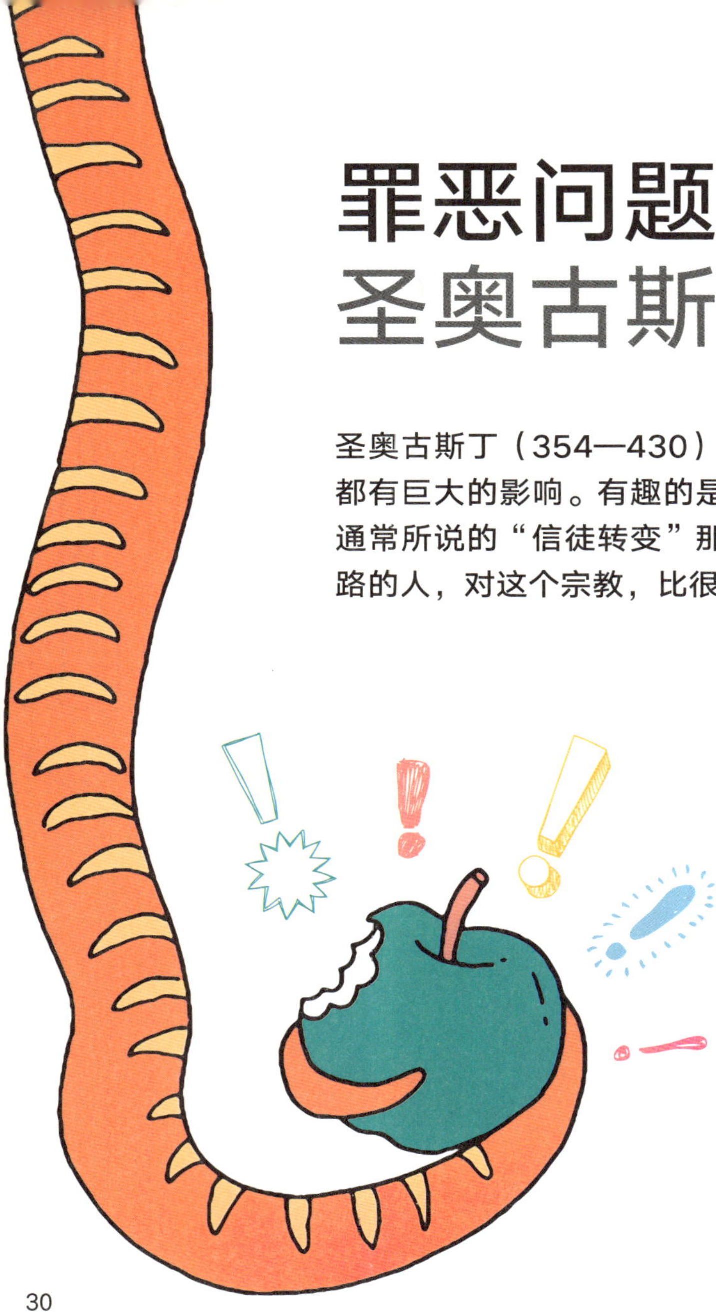

# 罪恶问题
## 圣奥古斯丁和上帝之城

**圣奥古斯丁（354—430）是最早的基督教哲学家之一。他的著述对西方哲学与基督教哲学都有巨大的影响。有趣的是，他并非出生在基督教家庭，而是在三十多岁时读到《圣经》中通常所说的“信徒转变”那部分才变成教徒的。事情往往就是这样，这个自主选择了信仰之路的人，对这个宗教，比很多生来就是信徒的人要热情和虔诚许多。**

他最关注的问题，是要在他对上帝的爱与这个世界上罪恶的存在之间找到一个可以调解的平衡点。具体来说，这个问题是一个三段论：上帝创造了一切事物，这个世界上存在着罪恶，那么上帝一定也创造了罪恶。

他的解释是，上帝并未创造罪恶。他只是给了我们自由意志，允许我们自己选择不做好人。因此，罪恶本身并不是什么“事物”，而是善的缺乏。如果罪恶本身并不是事物，那么仍然可以说，上帝创造了一切事物，但并未创造罪恶。嗯，简洁明了，很站得住脚。

圣奥古斯丁说过两句话，更鲜明地表现了他的信仰：

**思考时间**

艾伦和本都跑得很快。他们村里举行一年一度的跑步比赛，两人都参加了，都很想赢。而他们想赢，实际上就是希望另一个会输。这样的话，他们是坏人吗？在上帝眼里，祈祷自己能赢，是被允许的行为吗？

这个世界很危险，不是因为有罪恶，而是因为有人对罪恶无动于衷。

——阿尔伯特 • 爱因斯坦

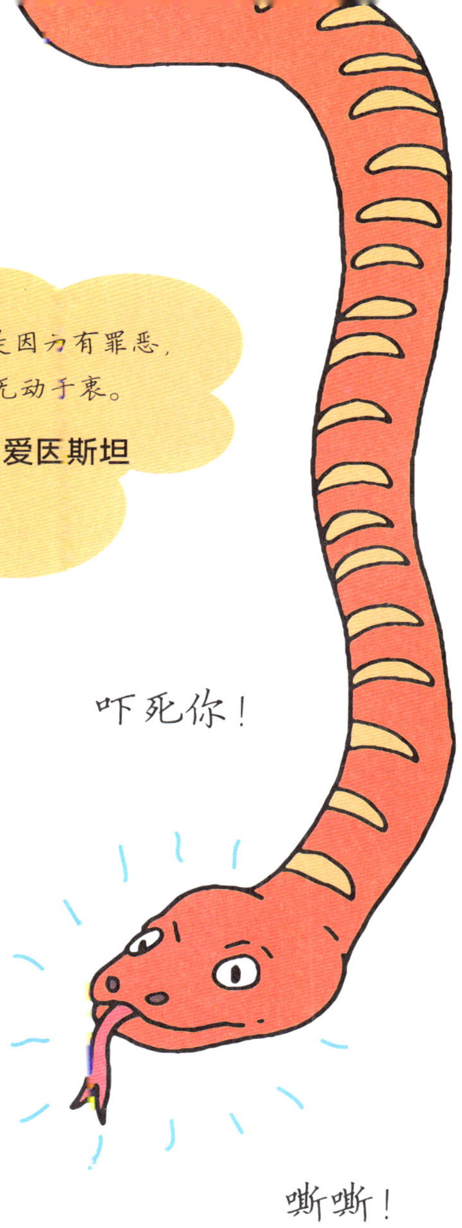


“是高傲让天使变成魔鬼；是谦逊让凡人成为天使。”

“不要为了相信而理解，要为了理解而相信。”

这个三段论成立吗？

- 上帝创造了一切
- 这个世界上存在罪恶
- 上帝一定也创造了罪恶

你能不能再想个三段论，同样承认上帝创造了一切，但又要说清楚，罪恶不包含在这“一切”当中？

# 上帝存在吗？

哲学上最大的问题之一，就是“上帝存在吗？”这为什么成了个大问题啊？原因有很多。其中一个就是这个问题根本不可能有什么办法去证明。说真的，很多古往今来都争论不休的问题，之所以会一直持续下去，就是因为无论给出什么答案，都没法证明。

托马斯 · 阿奎那提出了五个论据，自认为可以证明上帝的存在，这就是“上帝存在的五种证明”。

有信仰的人不需要任何解释；
没有信仰的人听不进任何解释。
——托马斯 • 阿奎那

1

**运动论**

所有运动的事物总要受到其他事物的推动，但不可能这样一直推下去，一定会有个第一推动者。这个推动者就是上帝。

2

**动力因论**

全世界的事物都有存在的原因，但没有事物会在自身之前存在。所以，如果一个因果链中的第一件事物不存在，那么这个因果链也就不存在了。不可能一直这样推下去，否则就没有事物存在了。因此，一定有第一个动力因，那就是上帝。

**思考时间**

要接受上帝的存在，难点之一就是看不到上帝本人（是男是女都随你高兴）。想想还有什么东西是你看不到，却相信（或不相信）其存在的。

3

**必然性论**

所有存在的事物，都曾经不存在。因此，曾经有某个时候，什么东西都不存在；那么，必然有最先存在的事物，万事万物都是在它的基础上逐渐产生的：它就是上帝。

4

**等级论**

所有的事物都可以进行质量层次上的比较，这样一直比下去，最后肯定会有一样最完美的事物，那就是上帝。

5

**设计论**

事情的发生都是有原因的，或者说有东西在引导。这个世界的存在，一定都是安排计划好的。而这一切的总设计师，就是上帝。

# 文艺复兴和人文的重现

**中世纪也被称为“黑暗时代”，黑暗的原因就是野蛮人越来越多，还到处跑。到十四世纪末，黑暗时代也快到头了。象征着“重生”的文艺复兴运动从意大利开始（不过我们常用的“文艺复兴 Renaissance”这个词来源于法语，而不是意大利语里的“Rinascimento”，这还挺让人想不通的），很快遍及整个欧洲。纸张的使用和印刷的发明，成了这个运动的助力，因为这样一来新知识新文化传播起来就方便很多啦。想想看，要是他们那时候就有了互联网，这运动会发展到什么程度啊。**

> 人最大的敌人就是自己。
>
> ——彼特拉克

文艺复兴包含了生活的方方面面，从艺术、科学，到贸易、技术。不过只谈哲学的话，这项运动催生了一种“回到未来”的思维方式。大家重新去阅读古籍，重新进行翻译。基督教出现之前的著作都被翻了出来。大家慢慢都承认了，对语言的运用，流畅的表达，是人文与知识发展的关键。哲学界的焦点不再是基督教哲学；大家不再费心去思考我们往生以后的世界会变成什么，而是关注当下正在经历的事情。

这就是人文运动，强调的是作为人的概念。第一个把文艺复兴之前那段时期称为“黑暗时代”的，就是人文主义者彼特拉克。

文艺复兴时最具代表性的杰出人物，是列奥纳多 · 达 · 芬奇，从艺术到科学的各种学科门类，他都是大师。这位著名的雕塑家，还发明了直升机。这个发明太超前了，所以直升飞机也没能飞起来，但这至少证明了世界上很少有他想不到做不到的事。哲学上他倒是没有什么著名的思想，但说到文艺复兴时期，就必须要提一提他。

最崇高的乐趣，是理解带来的快乐。

——列奥纳多·达·芬奇

## 达·芬奇的五大成就

1.《蒙娜丽莎》史上最著名油画
2.《最后的晚餐》史上最著名壁画
3.《维特鲁威人》史上最著名的艺术与几何结合的画作
4.《飞行器草图》领先时代几百年
5. 解剖学研究

维特鲁威人……

……这人是躺在雪地上用双手双脚画圈圈吗？

精致的极致，
就是简约。

——列奥纳多·达·芬奇

# 马基亚维利和政治技巧

如果你的名字成了某种人类性格的代名词，那你肯定称得上传奇的伟大哲学家了。这个队伍中有个人，叫尼可罗 • 马基亚维利（1469—1527）。说一个人很“马基亚维利”，就是说他很狡猾，两面派，口是心非。俗话说，无论好坏，出名就好。但从某种程度上来说，这应该是马基亚维利的耻辱，因为他自己根本不是这样的人，他只不过是在著作《君主论》中揭露了这种行为而已。

“比起被人爱戴，被人惧怕要安全得多……爱戴是靠义务的纽带维系着，而人的本性是恶劣的，只要对自己有利，这条纽带就能一刀两断；但恐惧则是因为害怕受到惩罚而维持着，绝不会出错。”

马基亚维利，《君主论》（1532）

# 马基亚维利生平

1469
在意大利
佛罗伦萨出生

1498
出任佛罗伦萨共和国第二国务厅长官

1498
被选为国防/战争秘书长

1501
结婚

1512
丢掉了一切职务

1513
被判处阴谋罪

1513
写作《君主论》

1521
出版《论战争艺术》

1527
在意大利佛罗伦萨去世

他是个人文主义者，却在违背自己信仰的环境下生活，被统治阶级剥夺了一切政治职务，还被判阴谋罪，在监狱里受到严刑拷问。他觉得人类已经堕落，对同胞的未来非常悲观。在《君主论》中，这些感觉都有进一步的陈述和发展。他在书中建议道，要做个成功的当政者，最好是被别人恐惧，而不是被爱戴。这并不一定是他本人的愿望，只是他观察到成功的当政者都有类似的行为。他认为，统治者不应该追求民众的崇拜和爱戴，只应该努力去维系权力。

**思考时间**

当政者的职责是什么？是统治管理，还是确保下次继续当选？手握大权的统治者，就一定是“好”的统治者吗？

**思考时间**

到底怎么办更好呢？是以恐惧来统治，让人们因为害怕承担出错的后果而去做事，还是以爱来统治，让人们因为爱戴你想让你高兴而去做事？

# 怀疑论者蒙田

**米歇尔 • 德 • 蒙田的座右铭是“我知道什么？”按照他自己的说法嘛，就是“Que sais-je?”对，他是个法国人。十六世纪的法国，宗教战争四起，蒙田曾经平静安逸的生活支离破碎。他的哲学思想，也开始去寻求与古典怀疑论的新结合。**

我的生命充满不幸，这些不幸大多没有发生。

——蒙田

他的哲学生活，不是跟别人辩论，而是在一座塔中安静地冥想思考。这座塔，位于他在法国多尔多涅的城堡的一个角落。他写了几百篇随笔，1580 年集结出版，书名叫《随笔录》，听上去平淡无奇。这里说的“随笔”，可以是“测试”，可以是“尝试”，也可以是“品味”。从本质上说，他写的文章，其实就是日记，记录他的想法，思考过的行动，有时候会具体到很微小的细节。这些日常的事情慢慢累积，就变成了我们所说的“生活”。如此，我们可以把这些事情作为跳板，到更宏大的层面去追寻生而为人的意义。

有趣的是，蒙田把这种细致的自省式哲学写出来的时候，没受到什么重视；但他的思想其实和苏格拉底审视人生的主张不谋而合。从他的随笔中可以看到，蒙田是最早提出不只是人这种动物

### 你知道吗？

蒙田深受肾结石病的困扰。这个病很痛苦，常常让他不能忍受。但他不会刻意去回避这个病，反而积极去做相关的思考，甚至还记录了自己排出来的结石的大小和形状。

才有内心世界的哲学家之一。他有句流传很广的名言，就是在问，我们和猫咪玩耍，是我们得到的乐趣更多，还是猫咪得到的乐趣更多呢？他甚至还嘲笑那些自认为比其他动物更高等的人。在关注动物虐待和动物保护方面，他领先了自己的时代几百年。

**思考时间**

你和猫咪玩过吗？如果你说，“嗯嗯，我玩过猫咪。”那你觉得猫咪是怎么想的呢？

# 弗朗西斯 · 培根的冻鸡肉

**弗朗西斯 · 培根爵士（1561—1626）打破了长期以来哲学形成的种种规则，把这些东西都扔到一边，自己另辟蹊径重新开始。如果说文艺复兴是重生，那么要论培根对哲学的影响，咱们可以说，他是科学革命的“接生婆”。**

跟自己的前辈马基亚维利一样，培根一开始并没有当哲学家的打算。这个时代的人可不能像古希腊人那么奢侈，整天坐在那儿想想东西就好了。培根年轻时候在搞政治，他年仅二十岁就当上了英国国会的议员。他做政府公务员一直做到六十出头。马基亚维利是等到不工作了才开始写作的，而培根一直都在写。

培根最大的贡献，可能是一套科学著作，一共五卷。他在书里阐述了自己的想法，对科学的方法进行了彻底的新思考，并说明如何利用这些思考和方法来改善我们的生活。

培根哲学思想的核心，是认为收集数据的时候，应该基于对自然的仔细观察，并采用系统的方法。收集了数据之后，就可以列举出一些假设，用相应的数据来进行检验和证明。这就是所谓的“演绎法”。

培根肯定是个“好奇宝宝”，有些人还觉得，他就是被好奇害死的。“好奇害死猫”，而培根是被一只生鸡给弄得翘了辫子。他当时在伦敦北郊的梅洛特区旅行。下雪天，他突然想着，雪里是不是能保存肉呢？他停下马车，买了只鸡，埋在雪里。三天之后他就死了。官方资料上，他是死于肺炎，但他也很有可能是从鸡身上感染了什么

“知识就是力量。”

**弗朗西斯 · 培根，**
**《沉思录与人类哲学》**

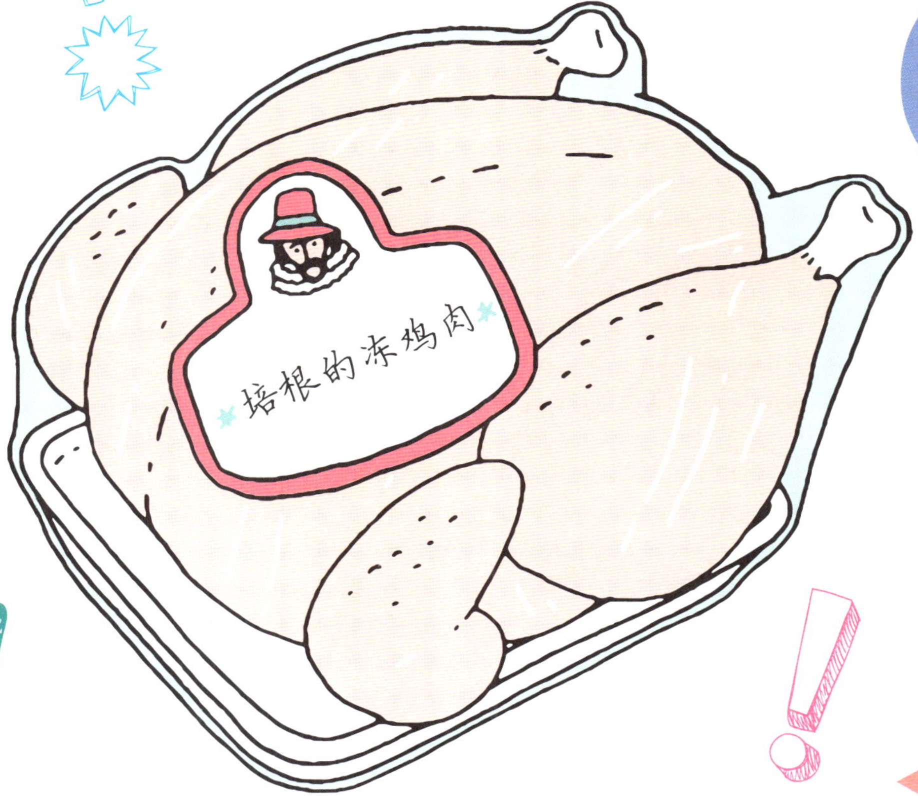


病毒。遗憾的是，也不知道那只鸡最后到底怎么样了。

**思考时间**

培根认为，一切科学和哲学都是从观察和收集数据开始的。你也找个什么东西去观察一下，收集一下相关的数据。然后呢，你要试着推导出一个理论，这可就有点儿难了哟。

**你知道吗？**

培根的政治生涯中，一直在全英国上下跑来跑去。他担任了全国范围内多处的地方官。先是德文郡的博思尼，之后去了韦茅斯和梅尔科姆雷吉斯，还有汤顿、利物浦、米德尔塞克斯和伊普斯维奇，最后去了剑桥大学。

# 卑贱、残忍而短命
# 托马斯 • 霍布斯的世界

我们每个人几乎都“签”了一份社会契约，只不过没有真的用纸用笔而已。我们选择生活在一个有秩序的社会里，这个行为本身就说明我们都同意要遵循一定的规则，并且按照这些规则的约束来做人做事。能走到今天这一步，是很多个世纪以来一点一点自然发展的结果。托马斯 • 霍布斯很早就发现，我们这是在自找麻烦，也可以说这是在为生活修建坚实的基础。看你从什么角度去看啦。

霍布斯出生于1588年4月，是个早产儿。后来他认为，自己之所以早产，是因为母亲听到西班牙无敌舰队进军神速非常害怕。所以，他也畏惧战争……

因此，在人人相互为敌的战争时期所产生的一切，也会在人们只能依靠自己的体力与创造能力来保障生活的时期中产生。在这种状况下，产业是无法存在的……关于地球的知识、时间的记载、艺术、文学、社会等等都将不存在。最糟糕的是，大家一直处于对惨死的恐惧和危险中，人类的生活孤独、贫穷、卑贱、残忍而短命。

**——托马斯 • 霍布斯**

### 思考时间

把你住的房子想象成一个国家。你就是统治这个国家的权威，周围的邻居是国家公民。你们有没有签订什么社会契约？有效吗？公平吗？对双方都公平吗？可以修改的话，你想怎么改？

这种畏惧促使他去寻求避免战争的办法，也就是他在伟大著作《利维坦》中阐述的一个主要内容。他在书中提出，社会契约是存在的，但同时也强调，一定要有个占统治地位的权威来确保契约的遵守与执行。从某些角度来看，他的哲学存在一个悖论。一方面，他很看重个人的权利，但另一方面，他又认为，一定要有个强有力的统治权威来维持秩序。

# 笛卡尔“我思故我在”

**勒内 • 笛卡尔探讨人生时，完全不在乎之前的任何观点。大多数哲学家是把前人的观点作为起点，要么做进一步论证，要么进行反驳。而笛卡尔的目标则是要白纸一张，完全以自己的想法为起点。不过嘛，也不能说他这样得出来的观点和思想就是完完全全原创的，只是没怎么受到前人的影响而已。**

笛卡尔最著名的话，大概就是那五个字，“我思故我在”。但他这句话到底是什么意思呢？也许可以说，他只是把苏格拉底那句“未经审视的人生不值一过”扩展了一下而已。但这五个字的含义还要更多更深。他把自己的工作方法称为“怀疑法”，就是怀疑一切知道的，看到的，甚至还想象着随时都有一个“邪恶魔鬼”在欺骗自己。

因此，说到底，他唯一能确信的事情，就是即使什么都怀疑，他还是存在的。因为要怀疑，就要思考；要思考，就得存在。

你知道吗？

笛卡尔出生在法国都兰地区的拉埃镇。1967 年，这个镇改名为“笛卡尔”来纪念他。

真正追求真理的人，一生中至少该有那么一个时期，尽量去怀疑所有的事情。

——笛卡尔

**思考时间**

我们都是通过感官去认识和感知人生的，但我们并不存在于这些感官之外，所以，要怎么确认我们接受到的刺激感官的信息，是我们所感知到的事物呢，或者说那只不过是这些东西的幻象？电影《黑客帝国》就用了这个概念。电影里的人物以为自己生活在真实的世界，但其实都是电脑直接在操控他们的大脑，欺骗他们的感官。再举个简单点的例子，一根棍子插在水里，入水的那个地方好像弯的。你只有把棍子拿出来，才能知道到底是直是弯。你还能不能想出别的感官可能被欺骗的例子？不局限于视觉哦。

# 心身问题

**自从笛卡尔提出心身问题，哲学家们就一直在辩论，在苦苦地思考，直至今天还在为此烦恼。笛卡尔认为，心（思想）和身（身体）是完全分开的两个部分；一起运行的时候，就成为完整的人。但这两者分开，也完全可以各自运行。**

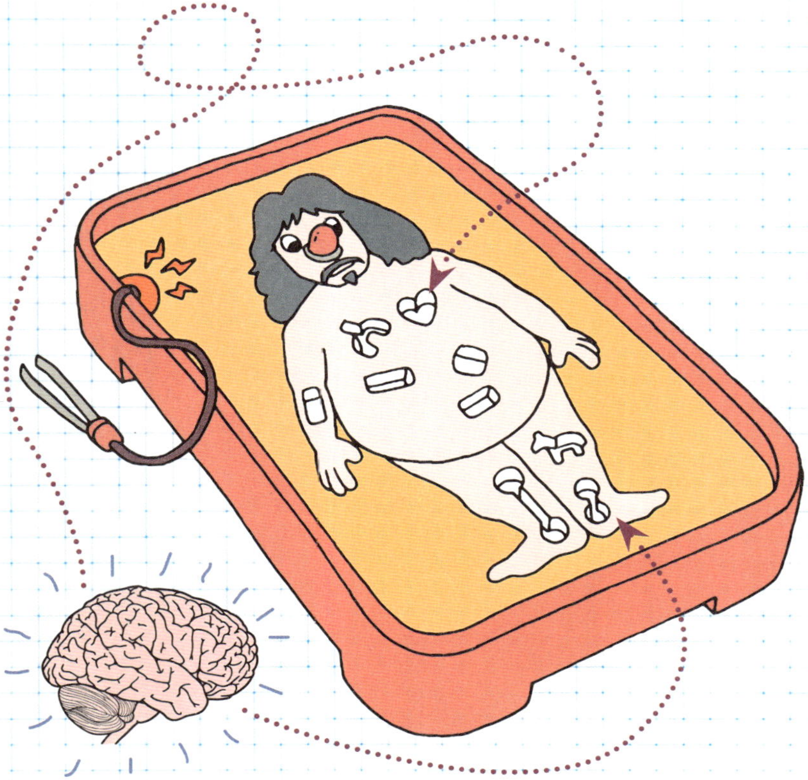

精神实体，也就是我们的思想，是负责思考的；而物理实体，也就是我们的身体，是负责物理活动的。两者之间肯定是有联系的，甚至还互相依存。两者的联系就是，思想会发出信号，指挥身体做事；但有些信号的发出，则是因为思想从身体那里接收到一些信息。比如，想上厕所这件事儿。身体发现膀胱满了，给大脑发出关于这件事的信号。思想对此信号进行消化，决定如何处理解决。大多数时候，办法都是找个厕所，该做啥做啥（但愿你不用憋着）。如果这种相辅相成的关系破裂了，就会发生意外。比如，酒喝得太多，感官就会迟钝，重要的讯息便延迟了……我们还是别说下去的好！

不过嘛，这个问题起源于一个事实，一个物质（思想）是存在于另一个物质（身体）之中某个地方的。当然啦，很多人会说，思想一定是在大脑之中啦。但思想到底在大脑中的哪里，而且真的只在大脑里吗？你的脚趾被踩到了，是被踩的那里痛，而不是大脑痛。所以思想是存在于全身上下的吗？要是你的脚趾被狠狠地踩了，受伤很重只能截断，那你也会丧失一部分的思想吗？大概不会吧。

这个世界是物理世界：如果所有的物质都消失了，那就没有身体也没有思想了。也就是说，要是没有了身体，思想也无法生存；但要是没有了思想，身体能生存吗？思想到底是什么呢？仅仅是我们的身体和大脑发出的数十亿电脉冲吗？如果只是这个，那为什么不能人工创造出来呢？我们每个人的思想，为什么会独一无二？我们又怎么知道，自己感知到的世界，和邻居们所感知到的，是一样的呢？

**思考时间**

如果思想独立于身体，但又需要身体才能运转，那么究竟需要身体的哪些部分，才能保住思想呢？我们都知道，四肢没了，还是可以思考；但接下来呢，身体还有多少部分可以失去？想起来的确很可怕，但是，如果你只是个泡在化学药罐里保持运转的大脑，还算活着吗？

名词解释

**二元论** 认为思想和身体相互独立的理论。

**一元论** 认为思想和身体是一体的理论。

# 约翰·洛克的空黑板

**约翰·洛克觉得，刚出生的婴儿，他们的思想就像一块干净的黑板，什么也没有。之后，“经验”这支粉笔，就在这块黑板上写来写去。写的是我们学到的东西，和根据已知推断出的东西。**

洛克有套著作，名为《人类理解论》（1690），一共四卷。其中论述的理论被称为“经验主义”，为哲学界做出了很重要的贡献。

卷一是立论，他提出，我们每个人都是一块空白的板子，根本没有先天就形成的条条框框。这完全是在打柏拉图的脸，因为柏拉图认为我们所有的想法和观念都是天生就有的，只是随着年岁的增长理解得更好更深而已。

卷二主要讨论我们如何通过经验来获取观念。要么是通过确实的感觉，要么是通过反省头脑中的思想，或两者结合。

卷三考察的是语言和人类的关系。人类为不同的声音赋予不同的意义，这样面对自己和周围的世界，就能生发出复杂的概念和观点。

卷四是从整体上去探讨知识。论述了知识是我们思想与经验的产物。

“人的知识不可能超越他的经验。”

洛克把我们经历的物体分为两种性质：第一性质和第二性质。第一性质指的是形式、形状、大小等等；第二性质则是物体给我们的感觉或对我们的影响。所以，一张桌子，第一性质是有几个面，第二性质则是木头的颜色，硬度，散发的味道。如果拿这个去套我们自己的思想，是很有趣的。想想看，我们的思想，应该是有第二性质的，但却没有第一性质。

**思考时间**

一般来说，咱们有五种感觉：视觉、触觉、味觉、嗅觉和听觉。没有了它们，还能体验到事物吗？那是怎样的体验呢？是不是意味着感觉不止这五种呢？如果我们的主要感觉是嗅觉（我嗅故我在），哲学的发展会不会走上完全不同的道路？

名词解释

**经验主义** 哲学理论，认为所有的知识都是通过感觉体验到的信息获得的。

“父母自己污染了源头，却奇怪溪水为何苦涩。”

# 理性主义者 斯宾诺莎和莱布尼茨

**理性主义者们认为，坐在房间里舒服的椅子上，周围没有窗户，没有门，可能只透一点点的光进来，你就能学到知识了。他们说，只是思考就够了。想理解事物，有所体会，根本没必要真的去经历。**

巴鲁赫 · 斯宾诺莎与戈特弗里德 · 莱布尼茨都是理性主义者，也就是说，他们认为，没必要通过感官的刺激或经验去学习，光靠思考，就能寻求真理。比如，他们会说，狠狠地打什么东西，你会觉得痛，这个你是知道的，而不用真的去打什么东西才会知道。这是个非常简单直接的例子，大家一想就知道。但理性主义者们的所有哲学思想，都是来自同样的方法。

斯宾诺莎的大部分思想都记录在《伦理学》中，这是他去世后才出版的著作。里面先是列出了很多公理，比如

> 最高水平的人类活动，就是通过学习去理解；因为理解了，就自由了。
>
> **——巴鲁赫 • 斯宾诺莎**

真理也有两种：推论的真理和事实的真理。推论的真理是一定的，反之则不可能成立；事实的真理要看具体情况，反之是有可能成立的。

——戈特弗里德·莱布尼茨

你知道吗？

巴鲁赫·斯宾诺莎靠磨镜片谋生，研究理性主义只是他的业余生活。令人伤心的是，这个主业让他英年早逝。因为磨镜片时粉尘吸入太多，得了肺癌，他于1677年去世，享年四十四岁。

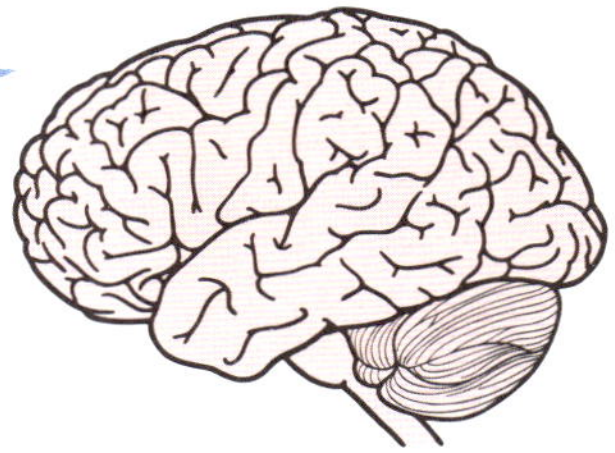

“对于结果的知识依赖于并且包含于对其原因的知识”（要了解结果，必须知道其原因）。然后进一步地去推敲验证。莱布尼茨是十七世纪最伟大的思想家之一，还发明了著名的机械计算器，比如“莱布尼茨轮”。

名词解释

**公理** 被普遍接受、不证自明的道理。

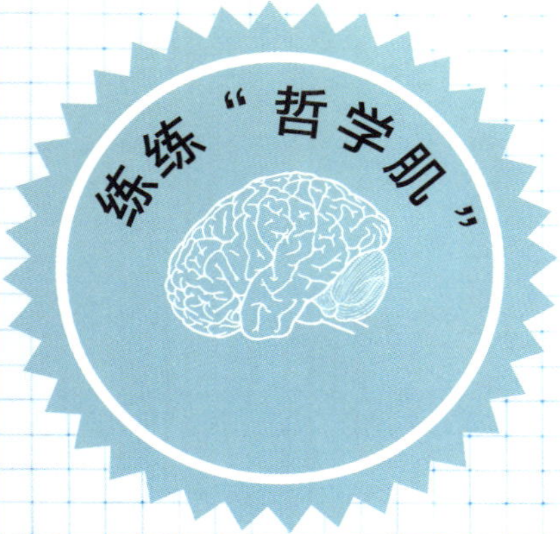


# 我面前的是把匕首吗？理性主义 VS 经验主义

**理性主义与经验主义之间一直争执不休，虽然不是什么血腥的“丛林大混战”，但双方也够勇猛激烈的了。只不过他们挥舞的不是拳头，而是思想。**

红角选手是经验主义：要学东西，就得去体验。我想完全明白一拳打在脸上有多痛，就必须有人一拳打在我脸上。

蓝角选手根本不准备一拳挥出去或者被对方打一拳，是的，这些就是理性主义者。他们坐在凳子上，想象拳头正向自己挥过来，脑海中勾勒出这么一个画面：皮质拳击手套触碰脸颊，自己被打得头仰马翻，头骨里的脑花都被打得晃荡起来。

要证明一个论点，或者你自己的观点，有个很经典的办法。你不用费力去论证自己这个观点，而是去证明相反的观点不成立。那么，这场经典哲学思想的对战里，该怎么运用这个方法呢？

> 时间本无善恶，全凭个人想法。
>
> ——威廉 • 莎士比亚

**思考时间**

这两个哲学阵营之间的人，该叫什么“者”呢？

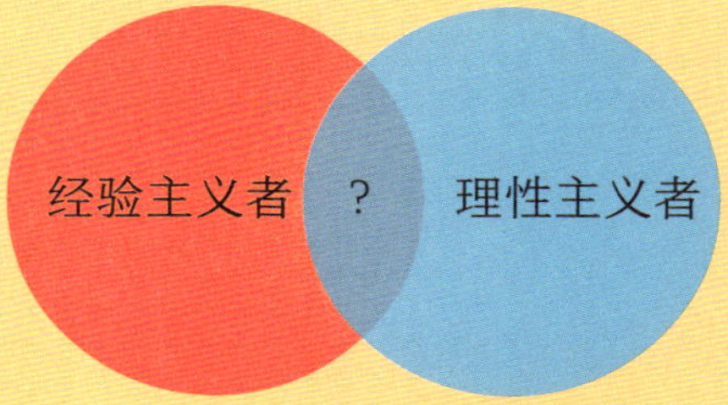


“我们所有的知识都是从感觉开始，然后进步到理解，最后得出理性思考。最高级的认知就是理性思考。”

伊曼努尔 • 康德，《纯粹理性批判》

理性主义者会说，经验主义行不通，因为感官是不值得信任的。刺激感官的东西可能本来就有问题，或者会引起感官的错误反应。我们都有过这样的经历，坐在火车上，以为火车动了，结果其实是旁边那辆火车在动。

理性主义者这一拳挺重的哦，不过经验主义者还是站了起来，说没有原因，就没有结果。一件事情发生之前，一定有另一件事情是它发生的原因。理性主义者所有论点的基础，所谓的“先天所知”，要是没有最初的刺激，根本就是不存在的。

就像之前所说的心身问题，我们这里也可以说两者相辅相成，缺一不可。经验主义者可以获取知识，但理性主义者的理论就像一面棱镜，给我们提供思考知识的不同角度。同样地，理想主义者那各种各样的想法都挺好，但如果不通过经验去过滤和证实，那也是风中的烟雾，一吹就散了。

# 存在即被感知
## 乔治 · 贝克莱的"禅意"
## 主观唯心主义

**乔治 · 贝克莱（1685—1753）和约翰 · 洛克一样，都是经验主义者，但他看待一个问题，参考的是前辈的思想。是的，我们的想法都来自观察，但怎么就能确定我们观察的东西真的存在于身外呢？贝克莱认为，因为我们都不能跳出自己的身体，所以也不能检验感知是否真实。**

**思考时间**

地平线那头是看不见的，但也从来没掉出过地平线啊。你没看到的地平线那头，是本来就存在的呢，还是在你感知到的那一瞬间才存在？

为了解决这个难题，贝克莱提出了一个想法，我们身外什么都没有。事物不能存在于我们感知之外，那么我们感知不到的东西，就不存在。基于此，他提出了一个在他的思想中流传最广的例子，讲的是森林里面一棵倒下的树。他说，一棵树倒了，但没人在场，那它倒下时就没有声音了。他还说，其实这树根本就不会倒，甚至不存在，那片它所在的森林也不存在。

所以，贝克莱认为，物体不过是感知的累积，为了识别

"存在即被感知。"

感知的累积，我们给它们命名。你说这是一把椅子，是因为别人告诉你，你坐的这个东西叫椅子。贝克莱的观点被称为“唯心主义”，就是说，我们认识这个世界，只能通过这个世界传递给头脑的感知，从本质来说，这个世界给我们的就是观点想法。

## 你知道吗？

加州大学伯克利分校就是以咱们这位爱尔兰哲学家贝克莱命名的。不过“Berkeley”这个单词的美国发音和爱尔兰发音不一样。这也没什么。反正只要我们不听到他们的错误发音，他们其实就没有发音嘛，而且根本就不存在的呀！

# 黑天鹅与大卫・休谟

**1711 年，大卫・休谟出生在爱丁堡，1776 年，他在同一座城市去世。这样是不是就可以说，他一辈子都是在爱丁堡过的呢？**

根据几个有限的观察结果，推出一个假设，这就叫作“归纳推理”。而休谟最先对这种推理的可靠性提出质疑。这个主题非常重要，因为休谟世界观的基础就在这里。休谟注意到，我们都理所当然地假设，大自然会按照通常的规律延续下去：比如，如果我们观察到的天鹅都是白色的，就会以为以后见到的天鹅全都会是白色的。他可不是很同意这个结论，认为我们总有那么一天会遇到黑天鹅。

**你知道吗？**

休谟本来叫“Home”，苏格兰读音就是“休谟”；但别的地方容易读成“霍姆”。于是他自己改名为“Hume”，这样苏格兰读音就更突出了。

所以，要运用归纳推理法，就应该允许不确定性的存在，并且靠我们的直觉或本能来调节这种不确定性。我们也许从来没见过黑天鹅，也基本可以确定看到的下一只天鹅还是白色的，但就算突然看到一只黑天鹅，也不会困惑慌乱。

> 智者根据证据的多少来确定信仰的深浅。
>
> ——大卫 • 休谟

**名词解释**

**归纳法** 从观察到的特殊现象得出一般规律和原则。

**演绎法** 从一般规律和原则分析特殊事件。

**思考时间**

我们是不是该想想这世界上有没有棕天鹅、黑白天鹅、紫天鹅呢？什么时候是个头啊？

**再思考时间**

警察因为工作需要，经常需要进行演绎推理。大侦探夏洛克 · 福尔摩斯和赫尔克里 · 波洛总是在根据各种线索演绎这个演绎那个。那怎么从来没听说过他们归纳什么东西啊，你觉得是为什么？

# 启蒙运动和机械宇宙

**十七世纪末到十八世纪是启蒙运动时期。顾名思义，这个时期的人们开始接触到新的思维方式。这种思维方式反对迷信与虚妄，纯粹基于一系列的原则公理，还利用试验和观察去检验这些原则，根据结果进行适当修改。冲在启蒙运动最前面的先锋就是艾萨克 • 牛顿和他的“运动三定律”。**

万有引力可以解释行星的运动，但并不能解释是什么让行星运动起来。

**——艾萨克 • 牛顿**

这三大定律，加上万有引力定律，形成了一个坚实的框架。在这个框架下可以对世界甚至宇宙进行解释。甚至还有人根据这个框架，提出一切都像机械钟表一样，以完美的秩序运转着。每一样事物的发展方向都是可以预测的，这样就可以对很多事情进行推算：比如太阳什么时候升起；日食、月食什么时候发生；行星会怎么运行，等等。

自然神论者（认为对自然世界的推理和观察足以证明有造物主存在的人）抓住“宇宙像个机械钟”这个观点，说这就是上帝存在的证据。他们说，如果宇宙真的像钟表这类机械一样准确运转，可以预测，那肯定某个地方有个制造这块钟表的人；也总要有人给这钟表上发条，确保它一直走下去。这个人就是上帝。

伊曼努尔 · 康德（详见第 60 页）认为，启蒙运动代表着人类脱离了不成熟状态——不成熟状态就是不能自主地运用知识。所以，启

## 艾萨克·牛顿，5个冷知识

1. 他真的是看见苹果掉在地上而推出万有引力定律的。
2. 他当过英国皇家铸币局总监。
3. 他曾经代表剑桥大学出任国会议员。
4. 1693年，他遭遇了一次精神崩溃。
5. 他出生于1642年的圣诞节。

蒙，就是指你能够根据自己的所知和经验，来指导自己的行为，而不用非要参考传统，或者遵循别人的命令。

**思考时间**

牛顿说，每种作用力，都会引起相同力量的反作用力。那么你想想各种各样的动作（汽车在动，球落下来，狗狗站起来），再想象这些动作的反作用是什么。

# 十分规律的伊曼努尔 • 康德

伊曼努尔 • 康德的生活，就是由各种习惯组成的：早上五点起床，深夜上床休息，每天如此。如果这个规律有所变化，那可是一件大事，他的家乡普鲁士（德国）柯尼斯堡的人们肯定都要难以置信地揉揉眼睛。和机械宇宙一样，他的每个行动都是规律的，而且他还骄傲地宣称自己从来没有睡过头的经历。从这些事情上我们可以对这个人有一定了解，但这能反映他的哲学思想吗？康德说："科学是有条理的知识，而智慧是有条理的生活。"

他有很多优秀的著作，但最著名的应该是《纯粹理性批判》。在这本书里，他尝试着去理解理性与经验之间的联系。他确信，我们的经验是由思想来控制的，也就是说，我们不是直接去经历事情的。所以，我们触摸什么东西，不会立刻体验到是什么感觉，要经由思想来获得感觉。

可能正因为如此，康德才过着这么井井有条的生活。早上散步的时候，他不会陶醉于玫瑰花的香味，因为这样会让他速度变慢，会有个输入数据（闻玫瑰花），处理信息（让这种陶醉的感觉蔓延全身）和得出结论（承认玫瑰花很香）的复杂过程。

《纯粹理性批判》出版于1781年，在那之前的十一年康德没有发表任何作品，因为他对自己就职论文中的观点存在疑问。

你知道吗？

**思考时间**

有没有什么东西是你曾经，或者可能在没有感官的情况下经历的？

我们所有的知识都是从感觉开始，进而理解，最后到理性思考。最高级的认知就是理性思考。

——**伊曼努尔 · 康德**

**思考时间**

还记得第 53 页上的那张图吗？蓝色那个部分的阵营，现在你觉得该叫什么？

名词解释

**本体世界** 不动用感官就能经历的世界。康德说这个世界可能是存在的，但不可知，和通过感官来经历的现象世界正相反。

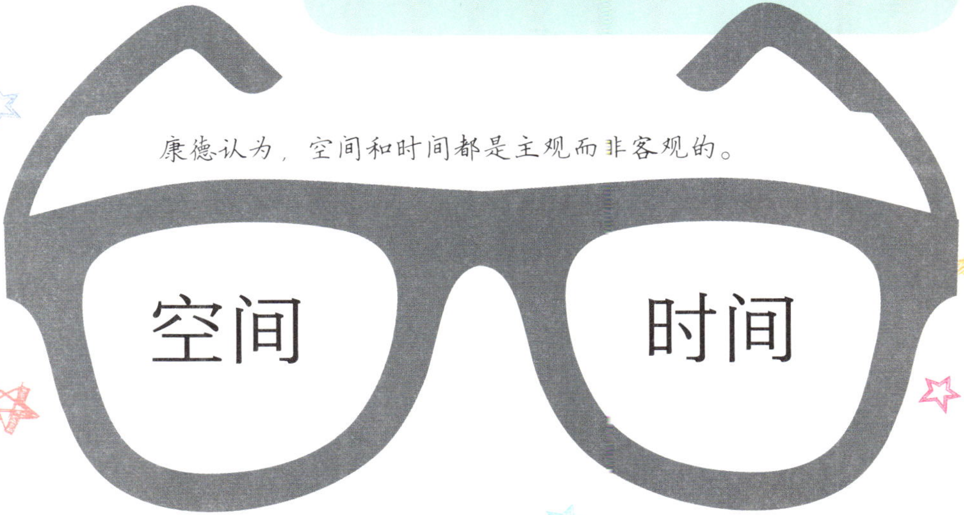


康德认为，空间和时间都是主观而非客观的。

# 黑格尔发现历史

**格奥尔格 • 威廉 • 弗里德里希 • 黑格尔（1770—1831）拿起康德留下的接力棒，但他的重点不太一样，是从逻辑观点上去进行哲学思辨。他的思想中最重要的元素，就是在历史的大背景下去理解各种行为。这样一来，他就承认了传统对塑造我们行为方式的重要性。**

他说，你不能脱离行为发生的背景，去看待某人的行为。举个最简单的例子，你看到一辆车在街上靠右行，可能会觉得司机疯了，但仔细想一想，又会意识到，在这个国家，车辆就是靠右行的。

黑格尔这个思想家，非常喜欢逆潮流而动。他从目的论的角度，对历史进行了重新审视。这导致了一个重大结果：卡尔 · 马克思参考了他的著述，形成了后来共产主义的基础。

黑格尔哲学思想可以总结为，或者称之为“绝对唯心主义”。人要理解这个世界，就要感知自己在这个世界的存在，不仅仅是作为其中的个体，还作为融入其中的一部分。

> 只有一个人曾经懂我，他不是真的懂我。
>
> ——格奥尔格 • 黑格尔

黑格尔认为，人的思想总是在永恒与暂时的细节之间游移。因此，哲学需要考虑到自身的历史状况。他说：“人们从历史中学到的唯一教训，就是无法从历史中学到任何教训。”黑格尔还认为历史是在立论、对立和综合的过程中发展变化、不断演进的。因此，哲学也是在论

史，但也总在不断变化，跟上历史的潮流。他有句名言：“密涅瓦的猫头鹰（智慧）在黄昏起飞。”

名词解释

**目的论** 从事件的影响而不是产生的原因来对其进行解读。

# 现实在你心中
# 让－雅克 • 卢梭和浪漫主义

**圣方济各 • 沙勿略说："孩子七岁时，便能看一生。"让－雅克 • 卢梭的性格形成时期，正是这句话的最好证明。母亲生他的时候去世了，父亲既没有时间，也不愿意来约束这个小男孩。长在瑞士乡野之间的他，热爱自然，每天能无拘无束地奔跑，而不是像通常情况下的孩子们，总被父母的各种规矩管束着。**

启蒙运动让大家以全新的眼光去看待理性的力量，但还是有所局限的。卢梭以及他的浪漫主义同道中人，大胆冲破了这些界限。卢梭的《不平等论》（1755 年）中有一段话，很鲜明地体现了这一点。他写道，所有的战争、犯罪和恐怖，都是因为最初有个人围着一块地修筑了一圈篱笆，宣布这是自己私人所有。他认为，如果有人去拆掉那些篱笆，大喊"……如果你忘了大地的产出属于我们所有人，而大地本身不属于任何人，那你就完蛋啦"，那这个世界上一切糟糕的事情都是可以避免的。对有效运行的主流社会来说，他这个说法真是令人震现实世界有限，想象世界无限。

——让-雅克·卢梭

**思考时间**

要是今天咱们把一切的所有权统统作废，会发生什么样的事？这个世界会变得更美好吗？你的生活会更幸福吗？

惊，很有可能会引起无政府的混乱状态。所以有人指责卢梭是个疯子。想想社会契约，从某些角度上你也应该能理解个中原因。卢梭觉得，人类发展中最好的阶段，就是介于动物和十八世纪的人们之间的某个时候。他所亲眼见证的十八世纪这些人，文明得有点过分了。

人们提起十八世纪在整个欧洲散播的浪漫主义，总会说这个主义提倡自由的人生态度。但最持久深远的影响，可能还是体现在文学和艺术上。浪漫主义对威廉·华兹华斯、约瑟夫·透纳和弗朗茨·舒伯特等文学家和艺术家都产生了巨大影响。

**你知道吗？**

卢梭的研究领域不仅限于哲学，他还是个著名的小说家和作曲家。

# 什么是艺术？

我们在学校里，都算是搞过艺术的。可能对艺术最初的亲密接触，就是画画。也许画得并不好，但课就叫“艺术课”或美术课，那肯定就是艺术了呀。但说实在的，究竟什么是艺术呢？

“艺术”的传统定义，就是通过创造力和一定技巧而产生的作品，主要呈现形式是视觉，最常见的是画作或雕塑。举个很典型的艺术品例子，列奥纳多·达·芬奇的《蒙娜丽莎》，这大概是全世界最著名的一幅画了。说这幅画是艺术，肯定没人有意见。但马塞尔·杜尚那幅《L.H.O.O.Q》呢？杜尚创作这幅作品的时候，就拿了张很便宜的《蒙娜丽莎》明信片，给蒙娜丽莎添上了两撇小胡子，下巴上也画了点胡子，在下面写上了自己取的怪名字。

这件作品是杜尚所谓的“现成品”系列之一。这个系列里，他选择日常用品加以改造，有时候甚至什么都不改，就直接放到画廊去展览。他最著名的“现成品”作品名叫《泉》，就是一个普通的小便斗。他只做了一个

改造，就是在上面签了自己的化名“R. 穆特”。

如果他只是把这个小便斗随机地放在巴黎的某个厕所里，和别的小便斗排在一起，那肯定不会有人觉得这是艺术，而且还会让这个小便斗发挥本来的功用。1917 年，杜尚用这个小便斗参加独立艺术家协会的艺术展，于是它的功能立刻改变了。委员会是拒绝了这个展品的，但现在它已经成为公认的二十世纪最重要的艺术品之一。

所以，艺术并不一定非要是一幅画，一座雕塑，甚至都不用展示这件艺术品的艺术家如何去生产（“制造”可能是个更合适的词）作品。

1990 年，收藏家查尔斯 · 萨奇买下艺术家达米恩 · 赫斯特的作品《一千年》。这件艺术品中有一个腐烂的牛头，玻璃柜里的苍蝇和蚊虫不断想飞过去吃那个牛头。这种东西你肯定不想挂在自家客厅的墙上，不过闲的时候聊聊还是很有趣的吧。

这么一说，也许艺术的定义就应该越模糊越好，应该说是接近“某人展示的别人认为是艺术的东西”这么个意思。

艺术洗去灵魂在日常生活中沾染的尘灰。

——巴勃罗 • 毕加索

**思考时间**

你能为艺术下一个完美的定义吗？俗话说，“情人眼里出西施”，每个人对美的看法不一样，这句话真的很有道理吗？很有道理的话，为什么有那么多人对美的认知类似呢？

# 以数字衡量道德
# 边沁的幸福算法

**工业革命的影响大概超过了所有的政治革命，这个世界完全变了个样子，于是我们的生活也翻天覆地了。到现在，距离工业革命开端都二百五十多年了，全世界还能感觉到它的影响。从很多方面来说，由农业社会变成工业社会，对生活有很大的好处。不过嘛，坏处也一样多。**

人口大量迁移，有了新兴的城市和扩张的城镇，也带来了以前没有的问题。英国作为工业革命的开端国家，国内很多城市扩大了十倍，大的工业城镇数量也变成原来的十倍。十九世纪五十年代的英国，住在大都市里的人口超过了住在农村的人口，成为世界上第一个这样的国家。过度拥挤，住房条件差，卫生系统跟不上，总体上缺乏远见的规划，引起了无数大大小小的问题。

杰里米·边沁是个社会改革家，他指出了这些问题，想采取点措施。他的哲学思想是，要为最多的人做最好的事。如果你要做什么改变，或者实施一项法令，必须要能增加人民的整体幸福指数。这个哲学思想被称为“功利主义”，而边沁又提出了支撑这个主义的“幸福算法”（算法，就是一步步推演的数学等式），理论上说，用这个算法，就能计算你正在做的这个决定能不能给全民带来整体上的好处，或者至少改善一下不好的方面。

边沁写了一本书，《道德与立法原理导论》，他在第四章列出了这个算法的详细步骤……

**哲学箴言**

尽你所能创造幸福，尽你所能消除不幸。

——边沁

**你知道吗？**

1832年边沁逝世的时候，把自己的房产留给了伦敦大学学院，但有个条件，要把自己的遗体送去参加学院董事会。他们给遗体做了防腐处理，到今天，边沁还总是去开会。

“让一群人中的每个人来考虑一项快乐或痛苦的值，那么它的大小将依七种情况而定，也就是前面那六种——”

1. 其强度

2. 其持续时间

3. 其确定性或不确定性

4. 其临近或偏远

5. 其丰度（增长率）

6. 其纯度

以及另外一种：

7. 其广度，即其波及的人数，或者（换句话说），有哪些人受到了其影响

边沁认为，每个评判标准都有可以输入的数据，然后就可以得出答案了。遗憾的是，事情肯定没这么简单。不过，这种法则还是很有价值的。

# 玛莉 · 渥斯顿克雷福特
# 男女平等，但不一样

**玛莉 · 渥斯顿克雷福特因为生第二个孩子所引起的并发症，去世时年仅三十八岁，在十八世纪来说也算是早逝了。很难推测如果她能活得长一点，还会造成多大影响，但她本身的影响已经很大了。她生活在一个男权主宰的世界，“女性平权”就自然而然成了她的哲学兴趣之一。**

在她生活的年代（她出生于1759年），大家仍然坚定地认为，女人就该待在家里。于是，女性受教育的机会就非常有限。反正，她们不就是做家务嘛，干吗还要学经典作品和前人智慧啊？这种情况造成了恶性循环：女性因为缺乏教育而被视为低人一等，于是她们也没什么远大理想，机会也很有限，进而证明普遍印象的正确性。

玛莉最著名的作品是《女权的辩护》，她就是在这本书里提出上述论点的。她认为，男人和女人在学习能力上是平等的，只要有机会，女性就能证明这一点。两种性别应该根据各自的优秀品质受到平等对待。不过她也同意，体力上的确是男人强壮一些。她对教育的看法写在出版的第一本著作《女教论》中。

我希望，当我像对待理性生物一样去对待同性，而不是以一些花言巧语去奉承讨好，永远像小孩子一样看待她们时，她们能够原谅我。

**——玛莉 • 渥斯顿克雷福特**

她对推动女权进步的热情也融入到两部小说当中，分别是《玛丽：一篇小说》和《玛利亚：或女人的错》。两部小说都写了被丈夫怪罪或轻视的妻子。渥斯顿克雷福特一辈子都在反抗丈夫掌控妻子这种当时社会认为理所当然的现象。

一直到二十世纪，全世界的女性才拥有了平等权利。不过到现在有些国家在这方面还很落后。但不管什么地方的男女平等问题，毫无疑问根源都可以追溯到渥斯顿克雷福特那里。

你知道吗？

芬兰于1906年宣布，该国所有成年人都有普选权，是全世界第一个这样做的国家。

# 真正的自由
# 约翰·斯图尔特·穆勒的《论自由》

我们应该勤奋努力，追求社会的全民幸福，这个想法当然很有道理，不过这也就是个概念而已。约翰·斯图尔特·穆勒当然也关心社会的整体幸福，但也着重去研究了这会对个人自由造成什么影响。

你知道吗？

在威斯敏斯特宫担任英国议员期间（1865—1868），穆勒是倡导赋予妇女投票权的先锋之一。

你听说了吗？那个会计耳屎太多，只能用铅笔来掏。我们大家耳朵里都有耳屎，掏耳朵很可能搞得自己狼狈不堪。医生叮嘱说，不要往耳朵里放尖细的东西。哼，说得倒是轻巧。但掏耳朵又没影响到别人，又让掏耳朵的人自己很舒服，肯定对社会的整体幸福也没什么不好的影响。不过，你要是在公共场合掏耳朵，肯定是要被翻白眼的。问题在于，如果主流道德去谴责什么事情，但那件事其实不会伤害到任何人，还能让个人受益，难道不应该允许做那件事吗？更重要的问题是，这个社会有权阻止你做那件事吗？就算是最糟糕的情况，这也是无受害人的犯罪。

穆勒把这件事说得非常清楚：

“人类纵使因为允许彼此依照个人的信念生活而受苦，仍胜过强迫个体依照集体的价值来生存。”

穆勒哲学思想背后的驱动力在于，个人自由是推动自我发展的重要因素，如果人人都有所发展，社会会在整体上受益。从另一个角度来说，如果你限制自由，就是在压抑自我发展，那么对整个社会都会有消极影响。

穆勒的父亲是杰里米 · 边沁的同事。边沁也是穆勒年轻时候的良师益友。所以，穆勒像边沁一样成为一个功利主义者也就不奇怪了。不过两人对幸福的定义不同。边沁认为，幸福是绝对的，不用去考虑“质”上的不同，幸福的“量”是最重要的。但穆勒认为，一定存在“质”的因素，所以他不同意边沁说的“图钉游戏带来的快乐和诗歌一样”。

一个人对他人作恶，可能是因为作为，也可能因为不作为；两种情况下，他都应该对造成的伤害负责。

——约翰 • 斯图尔特 • 穆勒

**思考时间**

你还能再想出别的“无受害人犯罪”的情况吗？这些行为可以被允许吗？

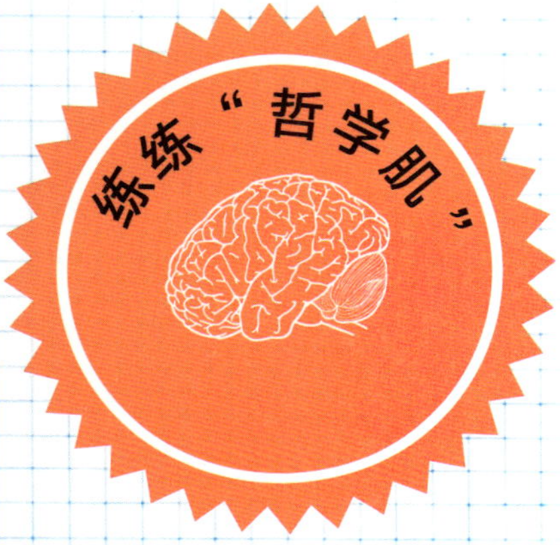


# 电车难题

英国哲学家菲利帕·福特（1920—2010）提出了一个思维实验，被称之为“电车难题”。这个难题一开始是个法律问题：有个案子，真正的罪犯没查到，却有人给法官施加压力，一定要找个人，随便找个人都行，拿来判罪。这压力来自一群愤怒的暴徒，他们威胁说，要是不找个替罪羊，就要杀掉一群人。这个法官面临的问题其实说起来很简单：要么构陷一个无辜的人（此人会被判死刑），要么什么也不做，让更多的人去死。

福特把这个问题变得更直接了，也就是“电车难题”：一列失控的火车（或者按照题目里的说法，电车）正往被绑在轨道上的五个人的方向狂奔。你可以救这五个人的命，拉一下拉杆让列车换到另一条绑着一个人的轨道上。你只有两个选择：拉，不拉。

边沁这样的功利主义者会说，你只有一个选择：让一个人去死。不过他们可能会说得委婉一点，不那么冷酷无情。这似乎是显而易见的选择，而且要是你明白当时的状况，真的能什么都不做一走了之吗？但是，一旦你出手让火车变道，就相当于参与到了原本就存在的这个道德错误中。而你如果什么都不做的话，可能就不算参与进来呢。

没这么简单。

福特提出这个“电车难题”以后，又有人加了更多的复杂条件，最先被加上的条件是“胖子”。在这个变种的版本中，没有另一条铁道，你的另一个选择变成把路过

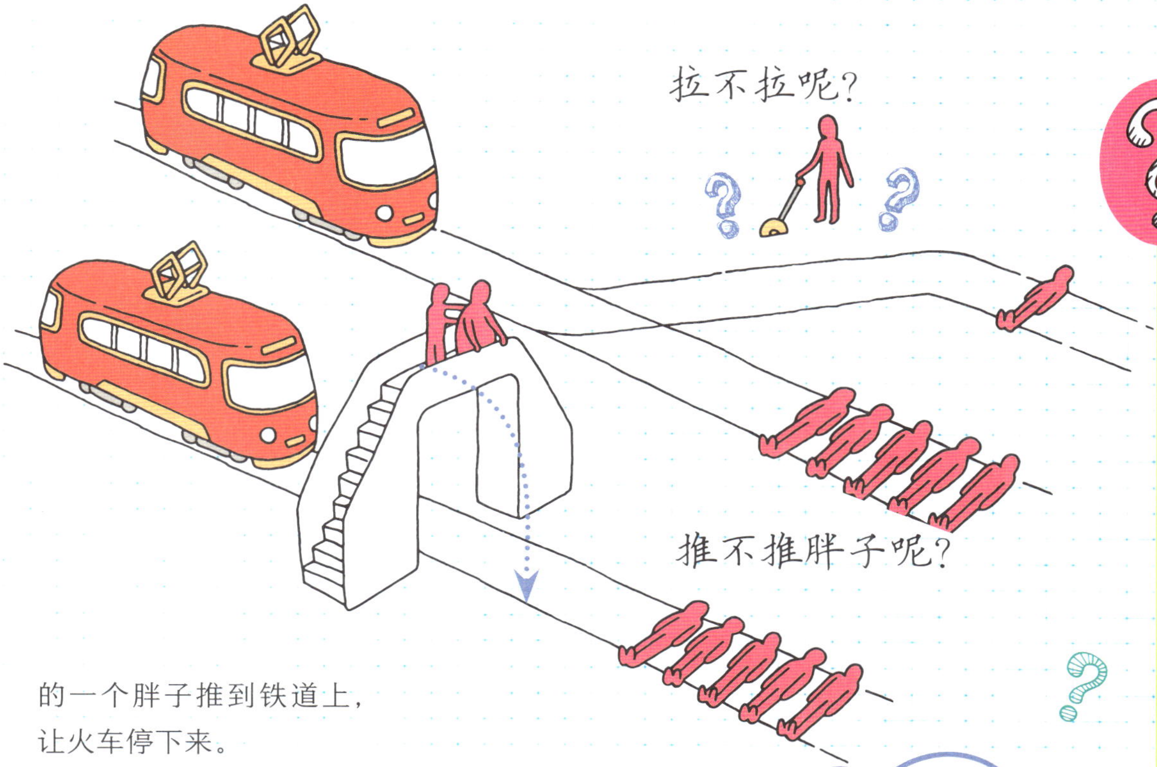


的一个胖子推到铁道上，让火车停下来。

这样一来，比起抓住一个真人，推他下去遭受本不该遭受的惨死，好像拉拉杆成了非常容易的事情。

> 如果问哲学家一个问题，他/她回答了一会儿之后，你就再也不懂这个问题了。
>
> ——菲利帕 • 福特

**思考时间**

如果你觉得这些听着都太虚假，就想想那个最终决定要不要向广岛和长崎扔原子弹来结束第二次世界大战的人。据估计，大约有二一五万人因为这次事件丧命。要说这次事件救了多少人，那是无法统计的。但做这个决定的人所面临的进退两难，就是“电车难题”的真人版。

# 全世界的工人阶级，联合起来

## 卡尔 · 马克思

**卡尔 · 马克思大学学的是哲学和法律，不过他最广为人知的还是关于共产主义的著述。马克思快二十岁的时候，对德国唯心主义者黑格尔（详见第 62 页）的著作产生了兴趣，加入了一个名为“青年黑格尔派”的组织。这个组织的成员并非同意黑格尔所说的一切，但的确利用了他的辩证法，从左翼的观点去看待这个世界。他们的重点是关注工人阶级的生活条件，而不是去维护富人的地位。马克思写的东西政治意味越来越浓，但也不意味着就没有重要的哲学价值了。**

边沁很坚决地去寻找让社会整体提升的办法，马克思也是一样。他觉得这个十九世纪中期的社会正在变本加厉地剥削多数人的劳动，让少数人得到享受。虽然这可能让一个国家的“平均福利”上升，马克思却认为，工人们付出的代价太大了，他们的剩余价值全都变成了工厂主的利益。

马克思认为，一个循环正在形成并不断重复，各种生产方法的发展让工人与工厂主都有所获益，但到了一定程度，就开始阻碍人类的成长。他认为长此以往不断循环往复下去，资本主义最终会崩溃，共产主义将主宰世界秩序，让人类得到整体的提高。他并不准备预测这一切到底怎么样变化，什么时候能到达那个境界，只是说，最终会实现那样的社会。

你知道吗？

马克思一共有七个孩子，但只有三个成年了。

## 卡尔·马克思生平

- 出生 1818年5月5日
- 6岁 受洗礼
- 12岁 进入特里尔中学
- 17岁 进入波恩大学学习法律
- 18岁 转学至柏林大学
- 22岁 父亲去世
- 25岁 与燕妮·冯·威斯特法伦结婚
- 26岁 女儿燕妮·卡洛琳出生
- 26岁 移居巴黎
- 27岁 女儿燕妮·劳拉出生
- 28岁 移居布鲁塞尔
- 29岁 儿子埃德加出生
- 31岁 儿子亨利出生
- 31岁 移居伦敦
- 33岁 女儿燕妮·艾芙琳出生
- 37岁 女儿燕妮·茱莉亚出生
- 39岁 一个儿子出生，但在未命名前夭折
- 49岁《资本论》（第一卷）出版
- 64岁 去世，葬在伦敦北郊的海格特公墓内

# 权力意志 弗里德里希 · 尼采

弗里德里希 · 尼采只相信此时此刻的当下，在这之外不存在任何世界。如果你想取得什么成就，必须要在自己的一生中实现。这种反基督教的立场被称为“肯定生存”，是他在著作《权力意志》中讨论的重点。

如果我们肯定了短短的一刻，就不仅肯定了我们自己，还肯定了所有的存在。

——弗里德里希 · 尼采

尼采在《权力意志》中，对人类为什么会出现种种行为做出了各种基础论断。他觉得，对权力的意志是我们行动的主要动力，特别是野心，也就是争取最好生活的渴望。在尼采提出这个观点大概一百年之后，亚伯拉罕 · 马斯洛提出了他的需求层次理论，这个理论就是一个金字塔，每一层列出一种人类需求，从低到高，最底层是生理需要，最顶层是自我抱负的实现。

尼采提出“肯定生存”理念，鼓励我们勇敢去迎接和享受我们一切的经历，不管是好是坏，因为这么短短的一刻，是经过了漫长的时间才产生的。肯定这一刻，我们就是在肯定和证明这个世界的历史。无视这一刻（任何一刻），就相当于犯罪，因为这样就是在否认我们的存在。这么说起来，他在某些层面上是在追溯两千多年前苏格拉底的思想。

尼采在《快乐的科学》中写道“上帝已死”，意思是社会现存的基础正在崩塌，因此生命也正在失去意义。面对这种状况，我们的挑战就是要寻找生命的意义。

尼采最著名的名言之一，就是“那些没能杀死我们的，使我们更强大”。他常年多病，最终在五十五岁英年早逝，似乎就有点讽刺意味了。

**思考时间**

当下这一刻，是由之前数十亿的每一刻积累而成的，但我们能做的，只有活在当下。难就难在真正去定义和感受当下这一刻。因为你一旦开始思考，这一刻就已经过去，你又来到了下一刻。用几分钟的时间，试试真正地活在当下，活在这一刻。有可能做到吗？

# 抱最大的信心
# 实用主义与威廉·詹姆斯的神秘松鼠

**威廉·詹姆斯认为，在没有直接证据证明神存在的情况下，仍旧还是相信神，这基本上等于在还从未取得某项成就之前，就相信自己能够取得那项成就。显而易见，归根结底都是自我信念的问题。**

也许你从来没从某条溪流上跳过去，甚至可能从来没跳过什么东西，但相信自己能做到，然后就去尝试，这一点儿问题也没有。同样地，就算完全没有证据证明某个神的存在，你也可以去信仰这个神，因为这就和相信自己能从溪流上跳过去一样，要在确定自己能做之前，就去做。这个类比我们就不要说得太深了，总之你要做的，就是放胆去相信。

与詹姆斯“信仰的意志”息息相关的，是他的实用方法论。1904 年的一场讲座上，他首先提出这个方法论，讲了个关于松鼠、人和树的故事。

詹姆斯说，有一次他和一群人在讨论，如果一个人围着树干追松鼠，而松鼠一直跑到树的反面去，那是不是应该说人在绕着松鼠跑呢？讨论的人分成意见不同而人数相等的两队，最后决定权就到了詹姆斯手里。他的实用主义方法论认为，双方都是对的，主要看怎么理解“绕着跑”这个词。

一种理解是从松鼠背对的方向，跑到与松鼠正面相对的方向。另一种理解是按照松鼠的北、东、南、西这种地理位置来移动。詹姆斯解释说：“类似例子里的实用主义方法论，就是要探索不同的实际效果，来解读每种说法。如果这个概

> 我第一个出于自由意志的行动，就是要相信自由意志。
>
> ——威廉·詹姆斯

念（而非那个概念）是真实的，那么对任何人来说，又会有什么差别呢？”

詹姆斯显然很喜欢动物世界，因为他还有另一个比较知名的理论，讲的是情绪，具体来说是恐惧这种情绪。他举的例子是我们面对一头熊时的反应。他问的问题是，我们是因为害怕才跑，还是因为跑了才害怕？他的重点在于讨论恐惧的本质以及我们对这种情绪的认定。心跳和呼吸加速，头脑里的慌乱，等等。到底是这些反应先来，告诉我们害怕了，所以才跑；还是我们出于本能地跑起来，于是产生一种我们认为是恐惧的心理反应呢？

# 和平主义与悖论
# 伯特兰 · 罗素

**伯特兰 • 罗素既不是个理发师，也没有留胡子，所以他或者别的任何人提出的最最复杂的逻辑问题之一，可能适用于他，也可能不适用。**

想象有个理发师，只给城里所有不自己刮胡子的男人刮胡子。那么，理发师会给自己刮胡子吗？如果他给自己刮胡子，就不属于自己的客户群了；但不给自己刮胡子，又会变成自己的客户群。这是个逻辑迷宫，要走出去有条捷径，就是说这个理发师是个女人（不过女人不刮胡子也会刮腿毛啊）。但在这里面绕来绕去，还是会绕晕的。

罗素的悖论为什么这么重要？跟数学有很大关系。罗素的悖论强调了一个跟朴素集合论有关的问题，而这个理论恰巧是数学的基础之一。罗素展现了这其中的缺陷，是他作为重要的数学家与逻辑学家生涯中小小的一笔。

罗素认为数学和逻辑学对于哲学有很重要的作用，因为它们可以给出绝对的答案，让哲学变得更有说服力，更接近科学的范畴。

除了在数学和哲学上的伟大成就，罗素在政治上的活跃也很有名，具体来说，是他对和平主义的推崇。第一次世界大战时，他因为违反《领土防御法》被定罪判刑。但他继续斗争（可能“斗争”这个词不应该用在一个和平主义者身上），反对战争，第二次世界大战时期如此，后来也是如此。就像他说的，“战争不能决定谁对谁错，只有谁生谁死。”

数学，如果正确地看，不仅包含了真理，也包含了至高无上的美。这种美冷峻而严肃，如同雕塑之美，一点也不投合我们天性中比较脆弱的方面，也没有绘画或音乐中那些华丽的装饰。然而，这种美有着崇高的纯净，而且能够达到严苛意义上的完美，只有最伟大的艺术才能展现出来的完美。

——伯特兰·罗素

**思考时间**

你能不能用罗素这个悖论再想一个别的例子呢?

给你个标准句式，或许有帮助：

_______（某种职业）只 ________（这种职业做的事情）那些不自己 ________（和前面那个空一样）的人。

填空就好啦。

# 维特根斯坦改主意啦

路德维希 • 维特根斯坦是公认的二十世纪最有影响力的哲学家之一，这样一想，他一生中只出版了一本书，实在是很令人惊讶。而且这本出版于 1921 年的《逻辑哲学导论》只有短短的七十五页。维特根斯坦在书中写道，他想要建立语言与现实之间的联系。这对他自己来说，也是个很艰巨的目标。

**你知道吗？**

维特根斯坦与阿道夫·希特勒的出生日期只隔了六天，两人还上过同一所学校。但他们不在同一个班，因为希特勒留了一级，维特根斯坦跳了一级。

朝这个目标迈出的一大步，是回归古希腊人的原子论，但要进一步推动这个理论，就有了“逻辑原子论”。古希腊人认为，一切都是由不能再进行分割的原子组成的，而维特根斯坦和其他持相同观点的哲学家则认为，这个世界是由不能再进行分割的逻辑原子（或者说事实）组成的。值得一提的是，虽然首先提出“逻辑原子论”这个说法的人是伯特兰 · 罗素，但他提出的时候，也是明确对维特根斯坦表达了感谢的。

《逻辑哲学论》和书中的理论让维特根斯坦成为重要的前沿哲学家。然而，在他去世后出版的遗作《哲学研究》中，维特根斯坦却来了个大转弯，完全否定了自己的理论。在遗作中，他完全反对自己简单地将世界看作逻辑原子的表达，甚至还说如果把语言与逻辑看成一回事，那就大错特错了。他从人类学这个新角度，去联系我们的行为、习惯和生命的形式。

“语言的界限就是我思维的界限。我所知道的只有我可以用语言来表述的。”

路德维希 • 维特根斯坦

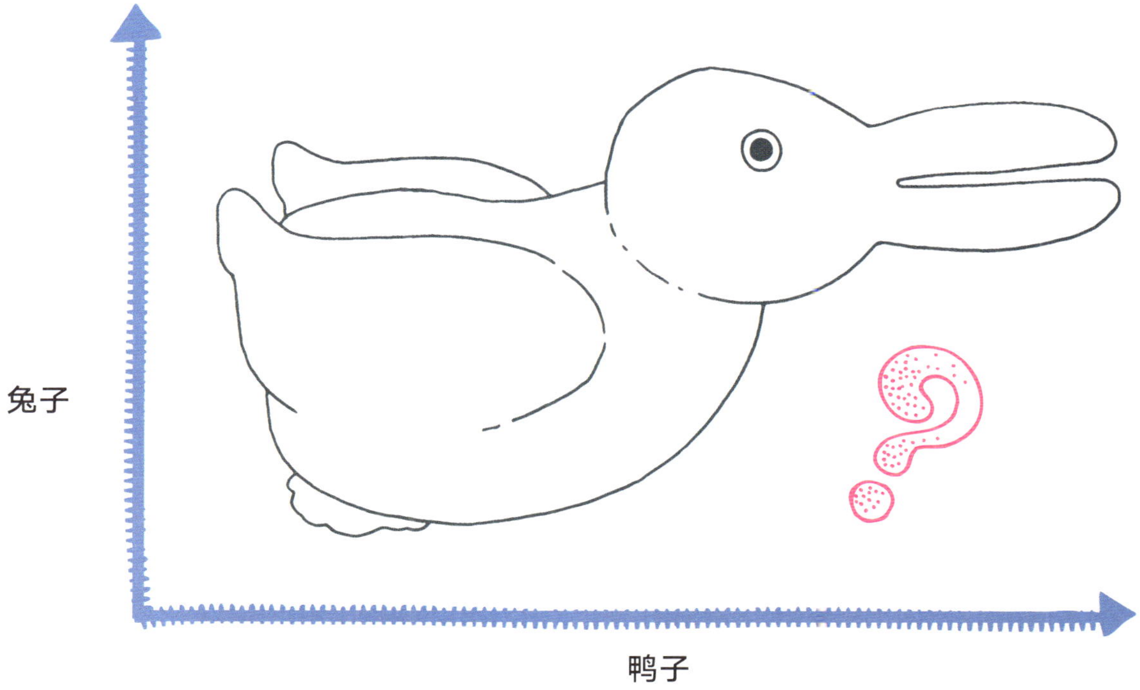


维特根斯坦还在这本书中讨论了另一个问题，我们一开始从某个角度来看待事物，但在进行进一步调查研究之后，我们看到的可能就是不同的事物了，这大概也解释了他自己观念上的巨大转变。他举的例子是“鸭兔图”。这幅图第一眼看上去是只鸭子，但多看一会儿，就突然发现好像是一只兔子。他说，前后认知与解读的区别，正如看同一幅图，一会儿觉得是兔子，一会儿觉得是鸭子。

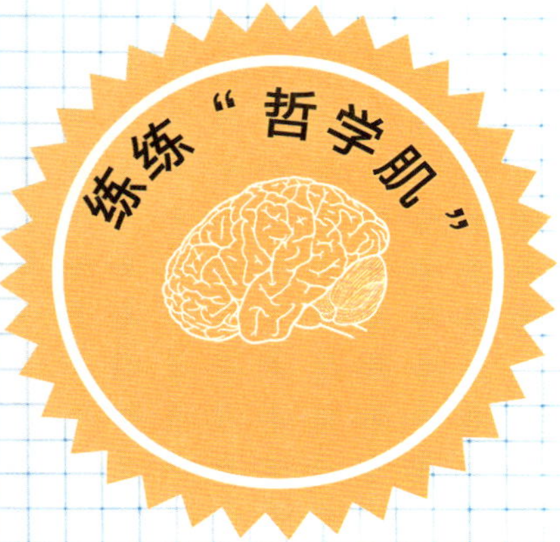


# 盒子里的甲虫

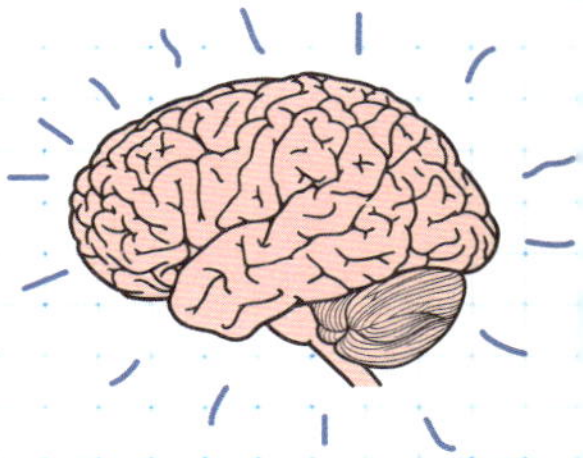

**维特根斯坦用一个有趣的类比来形容我们的语言与思维之间的关系。他说，假设每个人都有个小盒子，里面养着一只甲虫。唯一能看这只甲虫的人就是你自己，但你可以向别人描述和谈论这只甲虫，他们只是不能真正打开盒子去看你的甲虫。**

他强调的是公共场合的使用与大家达成的一致，能够逐渐发展出意义与语言描述。所以，你描述自己的甲虫是什么样子，旁人也只能通过对各种词语的一致同意这个过程，才能明白你的描述。甲虫这个话题好像已经很简单了，但解释清楚仍然很困难；所以，如果不谈论甲虫，而谈论思维，那真是可以说，我们基本上是不可能真正理解旁人的思维的。

我们都有这样的小盒子（可以是头，可以是大脑，就看你觉得思维存储在哪里了），有的人盒子比别人大一些。我们有和别人讨论这个盒子及其内容的自由，而且这种讨论通常是被提倡的。但我们都不可能真正看到别人盒子里的东西。就算有谁非常准确地描述了自己的思想，你还是不能确定到底是不是对的。毕竟，对于你盒子里的内容来说真实和正确的东

“哲学是反击语言诱惑理智的一场战斗。”

路德维希·维特根斯坦

西，可能对别人就并非如此。比如，让一个人忧郁消沉的事情，可能让另一个人兴高采烈。

还有一点也应该好好想想，描述甲虫应该是比描述思维简单的。那么，有没有什么东西，能够真正客观地自我描述呢？

这个类比有个重点。我们基本上都认为，人们的思维是按照同样的机制在运转，但想想大家各自的甲虫，就会发现，每个人的思维可能会有很大的不同。还有很有趣的一点，我们说的可能是“思维”（或者“甲虫”），其实指的是“盒子里的东西”，因为听别人描述自己思维的时候，我们其实根本不知道他指的是什么。从最最简单的层面来说，你说是“甲虫”的东西，我可能不叫“甲虫”。如果你能看看我的盒子，也许会发现，我盒子里装的可能是一只瓢虫。

### 思考时间

盒子里的甲虫，是维特根斯坦“私人语言论证”的一部分。私人语言，就是只有个人能听懂的语言，既没有价值，而且从某种程度上来说是不可能的，因为除了和自己，这种语言无法进行沟通。

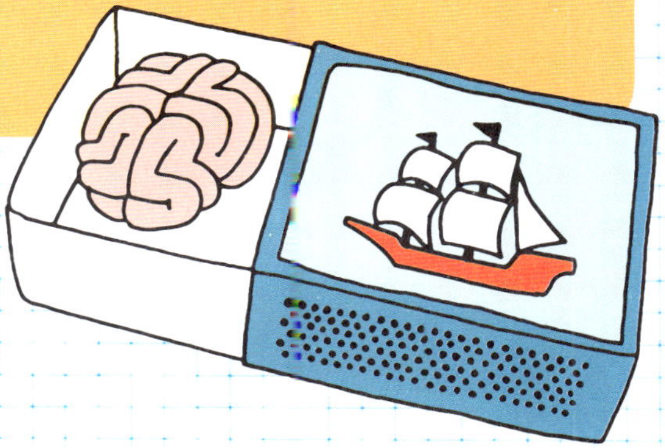

# 存在与时间
# 海德格尔与森林哲学

在著作《存在与时间》（1927 年）中，马丁 • 海德格尔创造了一个概念性的存在，“此在”，这是整本书的基础概念，以此视角来看世界。“此在”就是德语中的“存在”，可能最接近的翻译是“在场”。再准确一点可能应该是“在这里”，因为海德格尔哲学或者哲学讨论的核心之一，就是他之前的那些哲学家们，已经不再去追寻存在的含义了。

当我们认识到几个世纪以来备受推崇的理性是思考最顽固的仇敌时，思考才真正开始。

——马丁 · 海德格尔

## 你知道吗？

海德格尔是纳粹党员，也从未对此表示过任何悔恨之意，至少没有公开表示过。他接受过德国《明镜周刊》的采访，谈过这个问题，但条件是采访内容不能在自己生前刊登。后来刊登的文章也很局限，因为海德格尔有权对文章进行编辑，他参与到党内事务的很多事实在发生的时候也并不为人所知。

他想说的是，我们已经忘记了我们自己和物体真正的存在，只去关注事物有什么用。他举了一把锤子的例子。我们所想的所关注的，只是这个锤子能够把钉子锤进去，却不去考虑锤子切实的存在。他认为，这种现象也适用于包括我们在内的万事万物。

接受这个观点，是海德格尔思想的第一部分；第二部分是要去在意。我们一定要去问关于存在的问题，但问问题的人必须要真正在意，或者会被存在影响到。海德格尔说，这个人就是“此在”，海德格尔就从这个人的角度，写了自己第一本出版的著作，《存在与时间》。

海德格尔的大部分著述，都是在家乡黑森林的一间小木屋里写成的。山间小木屋就是他存在的地方。但也没什么记载可以考证，他是只把这里作为写作的地方，还是欣赏其本身的存在。我们就大度一点，说他可能做到了后者好啦。

# 做蝙蝠是什么体验？

**哲学里的简化论，意思是任何复杂的体系都可以简化到个体的部分。而托马斯 • 内格尔反对简化论，提出了关于“做蝙蝠是什么体验”的讨论。**

他写这篇文章，目的是通过展现作为这种动物的体验，让我们深化细化对意识的理解。他提出，所有的动物都有意识，而用蝙蝠来举例子，是因为蝙蝠的意识比较特别。而这个特别之处，让其成为蝙蝠的特定意识。

所以，我们虽然可以想象蝙蝠做的事情，比如在空中飞，或者从树枝上摇摇晃晃地倒挂下来，但只能从我们人类的角度去想象。因此，我们想象的并不是自己是一只蝙蝠。我们没有蝙蝠的感觉，也没有蝙蝠的思想。我们所想象的，是作为一个人倒挂的时候是什么感觉。

**思考时间**

先别急着往下读，来试试这个。想象你是一只蝙蝠。脑子里想到的第一件事是什么。

大多数人想象自己像蝙蝠一样倒挂着的样子，都会根据人类的本能给出第一反应。这不是在批评你缺乏想象力，而是让你意识到，意识的天性是多么根深蒂固。第一次想象自己倒挂的时候，你可能很担心东西会从你口袋里掉出去，或者害怕这样支撑着膝盖会痛。这两件事都是你倒挂时会遭遇的，但蝙蝠不会。蝙蝠没有口袋，倒挂的时候也不是腿弯曲并用膝盖撑在树枝上。这样你立刻就会发现，脱离自己的思维意识有多么难，我们离蝙蝠的意识有多么远。其实，到目前为止，让人类真的对蝙蝠感同身受根本还是不可能的，而且我们还没说到蝙蝠用声呐导航这种惊人的特性呢。

**再思考时间**

现在　弄清楚了像蝙蝠一样思考的问题，你觉得你做得到吗？那蝙蝠能想象做人是什么样的体验吗？

# 科学唯一擅长的，就是犯错
## 卡尔 • 波普的证伪主义

卡尔 • 波普（1902—1994）说，科学探寻不到真理，而科学之所以为科学，是因为提出了很多可以证伪的理论。他说“证伪”，并不一定是说这些理论都是错的，因为它们被提出的时候，看起来好像都是正确的。他强调的是，我们，或者说科学家，提出可以证伪的理论，是在说明，科学不仅仅是由科学发现来定义的，更重要的是方法。

### 你知道吗?

波普出生在奥地利，但后来的很多年都想要离开，逃避抬头的右翼统治。少年和青年时代的经历，成为他政治思想的基石。

也许我们从没能寻求到真理。但一个理论被证伪之后，我们就在路上向前了一步。要在这条路上继续行走，唯一的办法就是完全袒露，做好被证伪的准备。波普赞颂这些随时准备着上“断头台”、接受批评挑战的科学家，认为他们非常勇敢：

“……每当我们成功将这样的理论证伪，就是取得了很重要的新发现。因为这些证伪是最最重要的。让我们学到了意料之外的事情……”

> 我们的知识只能是有限的，而我们的无知必须一定是无限的。
>
> ——卡尔·波普

要理解波普所说的“可证伪性”，还有个更好的办法，就是问下面这个问题：这个说法或理论，可以被证明是错的吗？比如，咱们的老朋友白天鹅（详见第56页），从逻辑上来说，只要看到一只黑天鹅，所谓“所有的天鹅都是白的”这个说法就被证伪了。

波普为什么觉得“可证伪性”很重要呢？因为他觉得，务必要区分科学和非科学，而这两者之间的界线就是“可证伪性”。所以，如果某个东西不能被证伪，他就会说那不是科学。物理学家沃尔夫冈·泡利说起那些无法证伪的理论，竟然还评价说：

“这不是正确的，因为它甚至都不是错误的。”

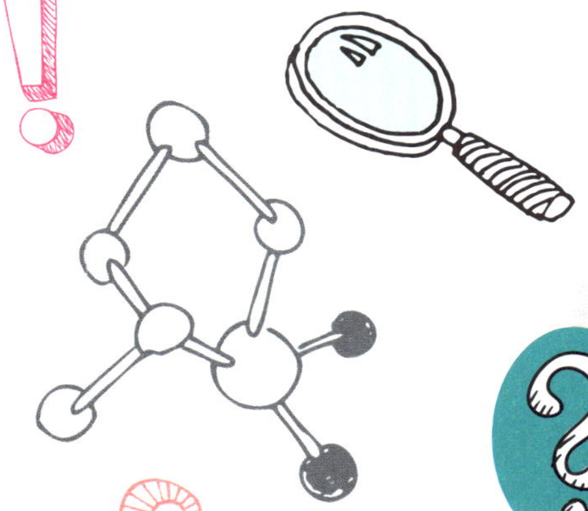

### 思考时间

想想一些伟大的科学发现，问问自己，这些发现能不能被证伪？先给你开个头：万有引力。

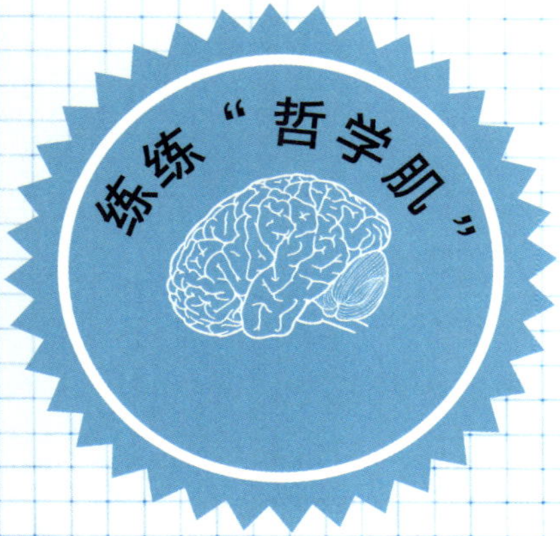


# 机器能思考吗？

**虚构作品里经常会理所当然地说，将来某个时候，机器是一定能自己思考的。最鲜明的例子就是《终结者》系列。电影是 1984 年首映的，但表现的年代却是 2029 年。要实现电影里的梦想（也不知道是好梦还是噩梦），那也没多长时间了。我们也得赶快通过图灵测试啊！**

图灵测试是“现代计算机之父”艾伦·图灵发明的实验。他认为，要检测一台机器是否能像人类一样思考，就得找个人，分别跟一台计算机和一个人对话，但不告诉他哪是人哪是机器。只要体验过自动电话接线应答的人都知道，两者的差距一定是巨大的。但图灵很乐观，觉得有意义。

“看起来很有可能，”他说，“只要机器的思维方法启动了，不久就会超越我们人类无力的掌控……它们可以彼此对话，让思维更敏锐。因此，到了一定程度，我们可能就要做好机器会控制人类的准备了。”

我们已经知道，机器回答事实性的问题已经很容易了，比如今天是几月几日；一个体积为 Y 的围栏里能容纳多少只体积为 X 的猪。但要让我们相信它们具有了人类的智能，机器要做的远远不止这些。不能只是像前面这个例子一样单纯地计算，而要进入真正的思维范畴，形成自己的观点。现在，距离图灵的年代已经六十多年了，计算机能达到的最高水平，也就是替它们编程的人的水平。输入的是什么，输出的就是什么。要等到谁发明一个真正能学习的机器，能够

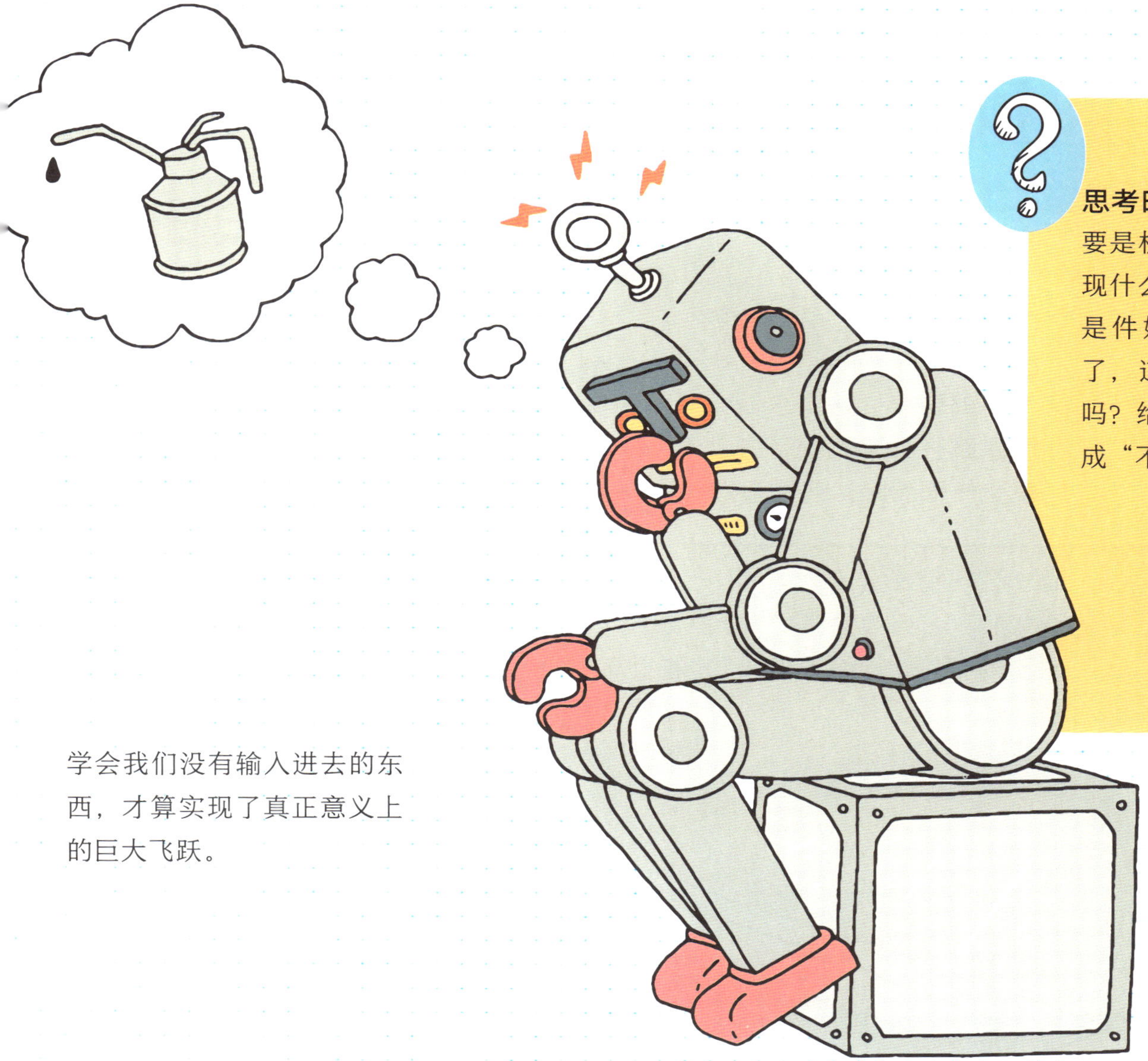

学会我们没有输入进去的东西，才算实现了真正意义上的巨大飞跃。

**思考时间**

要是机器真的能思考了，可能出现什么样的后果呢？对我们来说是件好事吗？要是他们能思考了，道德标准也跟我们一样了吗？给计算机断电，是不是就变成“不道德”了？

## 我思故我在？

# 疯狂科学
# 托马斯·库恩与哥白尼“黑暗中的跳跃”

“范式转换”这个东西，可不是科学家的老婆们穿的什么漂亮裙子，而是跳开标准和规范去创新。这一跳特别出人意料，简直像火车从铁轨上一跃而起，把乘客们带往全新的方向。

这个变化为什么这么让人吃惊呢？因为乘客们对于现存铁路网络的理解，还远远不够去认识火车变化的新轨道。

十六世纪，尼古拉·哥白尼提出，太阳系的行星是围绕着太阳转而不是围绕着我们的地球转，这便是这种惊人转换的一个例子。

那真是科学上的巨大飞跃，他都不敢公开发表自己的发现，只告诉了几个最亲密的朋友和同事，生怕造成什么不好的后果。

“大多数科学家不可避免地将几乎所有时间都花在常规科学的活动上。而这些活动的基础，就是科学界对世界现存的所知和设想。”

托马斯·库恩

### 你知道吗？

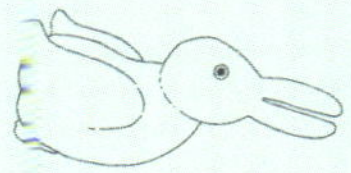

还记得维特根斯坦的“鸭兔图”吗？嗯，库恩想解释“范式转换”的概念时，也用到了同样的例子。

托马斯·库恩举了哥白尼的例子，试图解释科学的变化并不是一条直线，并非每个新发现都一定会引出下一个发现。他说，其实正相反，很多时候总要往未知的黑暗中大胆跳跃。

库恩说，科学进展有三个主要阶段。首先是“前科学”时期，人们对相关主题的所知不足，还无法达成推进；接着进入“常规科学”时期，会做很多工作，取得很多进步。也就是在这个阶段，与常规相反的范式会被忽略，被认为是旁门左道，错误，危险，或者就是愚蠢。最后，进入“革命科学”阶段，现存范式中的反常思想累积到一定程度，必须要进行范式转换，才能取得更大的进步。

很多人都曾说过，光是指出这个科学发展的阶段，库恩就已经更快地推动了科学的进程。科学家们就像得到了离经叛道的“许可”，不那么固执地守着已有的范式，而是大胆去探索别的途径。要是哥白尼受到了这样的鼓励，历史很有可能完全改写。

# 动物享有权利吗？

在远离人类的动物世界里，动物们互相对待的方式，我们可能是看不下去的。它们互相追逐，互相残杀。强大的动物不会考虑被捕杀的弱小动物的感受，也绝不会想到猎物在生命的最后时刻是不是非常绝望和恐惧。这些事情都是很自然的。这个食物链建立了，对整个星球都有好处。

没人会质疑野外世界的这种运转方式，而如果现在我们把人类的道德强加在这个自然世界上，是行不通的。你要让一头狮子以"人道主义"的方式去杀掉一只羚羊，那还不如叫它去玩网球呢。一切看上去都很正常，很合适，然而，我们这些本是处于食物链顶端的人类，已经花了一千年的时间去思考动物的权利。我们饲养来做食物的动物，是否有被好好对待的权利呢？如果一只鸡的命运是被卖出宰杀，成为盘中餐，那么它短暂的一生是在能自由奔跑的宽广田野中度过，还是在连转身都困难的笼子里度过，有区别吗？我们人类彼此之间发展出一些权利以及对他人行为的规定和约束，于是又展开热烈讨论，同样的权利和考虑应不应该适用于非人的动物身上。

讨论围绕的中心议题，是动物们有什么真实的想法和感觉，我们人类对自己又有什么感觉，这种感觉如何随着我们对待他人的方式不同而改变。

合乎道德的情况下，我们当然不会把别人关进小笼子里，一关就是十八个月，没有自然光，强迫对方吃东西迅速长肉。那为什么这样对鸡呢？有些人会说，我们又不吃人，所以对待人的方式，自然和这个星球上其他的动物不一样。

说到底，我们会吃肉，也会想办法去生产肉制品，保证吃到肉。那有个事实是无法否认的，吃肉就要杀掉别的动物。问题在于，这整件事情，是不是恰好证明了，我们在满足自己饮食需求的同时，还需要证明我们在整个动物世界至高无上的地位（不仅是掌控它们，还要让它们发现，人类对它们比别的动物对它们更好）？

如果说拥有更高等智慧的人也无权用他人来达到自己的目的，那人类怎么就有权去压榨非人类呢？

——彼得・辛格

# 僵尸哲学
# 他心问题

**哲学里的僵尸和电影里的僵尸可不一样。一想起“僵尸”，你脑子里可能就出现走得踉踉跄跄，眼睛呆滞无光，双臂向前伸的可怕形象，而且久久挥之不去。但如果能忘掉这个形象，“僵尸”能帮你做很有用的哲学练习哦。**

> 研究意识能让我们更加了解这个世界从根本上就有多么奇异。我想，在我们到达最基础的层面之前，还要经历好几次革命。
>
> ——大卫 · 查尔默斯

哲学里的僵尸和你我一个样子，只是没有意识。从本质上说，就是一个内心空洞的人类。哲学僵尸是大卫 · 查尔默斯这样的哲学家创造出来反对物理主义的。哲学僵尸是假设的存在，形体外貌上都和人类一模一样，但没有意识。所以，我们根本无从得知做僵尸是什么样的“体验”。查尔默斯认为，如果我们能想象这样的僵尸，那说明我们对心灵和意识是有理解的。如果我们能够想象一个外表特征和我们一模一样，但却没有与之相配的意识的存在，那就说明物理主义的观点不对，因为物理主义认为，同样的形体条件，都会有与之相配的相同的心理条件（因为一切都是物理实体）。

有人对此提出反驳，认为这样的僵尸是不存在的，也根本不可能去想象，同样的形体条件会产生同样的心理条件。这样的僵尸应该和我们有着同等的意识。

这个反驳又引发另一种有趣的思考。我们从逻辑上可能想象出来的事情，是不是实际上就有可能呢？比如，一个高尔夫球手，他在打当天的最后一洞，这一轮已经比预想的久了很多，所以现在天已经黑了，他连果岭都看不清，更别说球洞本身了。从逻辑上来说，他有没有可能从将近两百米开外的地方

直接把球打进洞里呢？逻辑上来说可以，当然是有可能的。但实际上有可能吗？当然可能，虽然几率不大。不过哲学僵尸是否存在这件事情，其中的逻辑就没这么简单直接了。因此这个逻辑是否能够应用到现实世界中，也缺乏相应的论据。

### 名词解释

**物理主义**　一切都是物理实体，没有任何东西可以超越物理实体。

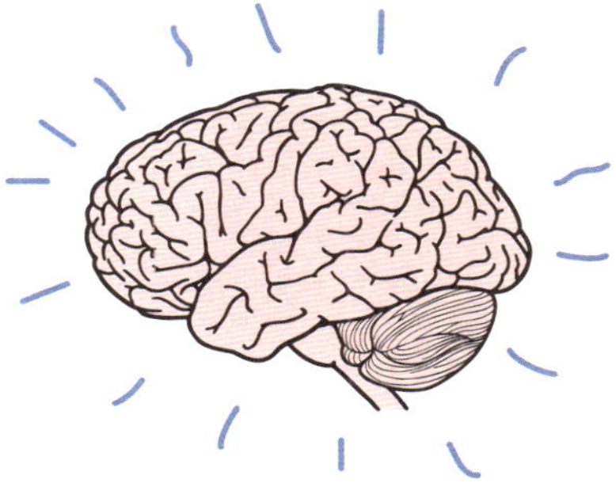

# 哲学的未来

**技术在大踏步地前进，科学的变化与推进也健步如飞。每当有新的发明和发现，就意味着下一次革新会更快地到来。我们的世界每天都在越变越小。现在，我们在一百分钟之内能到的地方，一百年前可能需要十倍的时间。拿着巴掌大的一个设备，咱们就能和地球另一边的人面对面通话。如今，我们的世界变得太快了，真是很难说我们对世界的理解能否跟上时代的步伐。**

生活是不是变得太快，让我们的思想跟不上了？这个问题是哲学家们逃也逃不掉的问题。世界在变，我们在世界的位置也在变，曾经很重要的事情也可能变得不重要。地球上的自然资源在越来越快地减少：一旦资源不可避免地用完了，我们怎么办呢？除了给汽车提供动力，给房子供暖这样的事情，还有整个社会运行的问题。

你想想，一个以化石燃料为源动力的世界，没了化石燃料，将是怎样的场景？

如果加油站没了油，旅行就变得更难。物价上涨，现在是常用品的东西就会变成奢侈品。如果填饱肚子这种基本生存成了日常的主题，人们还会遵守社会契约吗？哲学会一马当先地帮助我们应对这些变化，还是会变成日渐衰微、没人遵守的原则？

"未来取决于你今天的所作所为。"

**圣雄甘地**

可能会迎来新的黑暗时代呢！常规社会已经变得多元化，我们也越来越脱离传统的家庭单位，那么社会将发生什么样的变化呢？第一世界的国家纷纷出现经济危机，人口的变化会改变我们共同生活的方式吗？电脑最终会变成智能生物吗？它们能够获得自主思考的能力吗？如果能的话，它们对我们以及我们对待这个星球的方式，会有什么看法呢？有自主思考能力的智能电脑能成为哲学家吗？如果能的话，它对之前那些主义又有什么看法呢？

这一切的疑问中，最大的可能是这个：在这个广阔无垠的宇宙中，有没有可能真的有别的智慧生物呢？我们可能现在才刚刚对自己在这个世界上的位置有一点认识，但如果我们还得思考自己和其他生物的关系，这些生物还可能比我们更先进，那将是怎样的局面呢？要是我们从食物链顶端掉下来，该怎么办？我们会不会因此发现，意识不是有没有的问题，而是拥有程度高低的问题？

**思考时间**

未来由你决定。

# 词汇表

**人工智能（Artificial Intelligence）**

哲学和计算机科学研究的领域，主要是研究计算机是否能展现与人类同等或更高的智慧。

**无神论（Atheism）**

不相信有上帝等神明的存在。

**原子论（Atomism）**

认为地球是由无法改变和分割，但细小得肉眼看不到的微粒组成的。

**公理（Axiom）**

逻辑上认为绝对正确的第一原则。

**共产主义（Communism）**

政治教条，认为所有的财产都是公有；1917 年俄国大革命之后建立起来的体系。

**此在（Dasein）**

“存在”或者“在场”，一种特别的人类存在模式，也是海德格尔著作《存在与时间》（1927）的基本哲学原理。

**演绎法（Deduction）**

推理过程，人为特定的结局一定是由某些前提而来的。比如，人都是要死的，苏格拉底是人，所以苏格拉底会死。

**自然神论（Deism）**

认为科学对自然世界的研究表明了上帝存在的证据。

**决定论（Determinism）**

认为所有的事情都是前面的一些原因引发的，而这些原因引发的事情是一定的，不会引发别的事情。

**二元论（Dualism）**

认为宇宙是由两种彼此不同且不可削减的物质组成：精神和物质。与“一元论”相对。

**经验主义（Empiricism）**

探询的方法，与科学有根本上的联系。认为通过感官证据就能获取真正的知识。

**认识论（Epistemology）**

哲学的分支，与自然以及知识的有效性与可靠性相关。

**伦理学（Ethics）**

哲学领域，讨论道德原则的问题，比如，自杀是否符合道德标准。

**女权主义（Feminism）**

伦理、社会与知识层面上的运动，在性别平等的基础上宣扬女性权利。

**人文主义（Humanism）**

文艺复兴思想的分支；之前在希腊和罗马的文学与文化领域相当盛行。后来用来形容一种非宗教的世俗观点。

**唯心主义（Idealism）**

认为现实一定是心灵或意识构建的，因此除了心灵和意识之外不可能产生任何知识。

**归纳法（Induction）**

从具体前提得出整体结论的推理过程。比如，我兄弟喜欢吃披萨，你兄弟也喜欢吃披萨，那么，所有的兄弟都爱吃披萨。

**形而上学（Metaphysics）**

哲学的分支，讨论的是现实的本质。比如时间、存在与因果关系的本质。

**一元论（Monism）**

认为宇宙只由一种无法削减的物质组成。与“二元论”相对。

**本体论（Ontology）**

属于形而上学的范畴，与存在的本质有关。会提出例如“存在着什么”和“我们应该把存在的物体如何分类”这样的问题。

**物理主义（Physicalism）**

心灵哲学的思想，认为所有的心灵状态其实都是身体状态；思想最终还是要归结到实体上来。

**实用主义（Pragmatism）**

十九世纪末兴起的哲学分支，认为相反哲学观点之间的决策，应该根据该决策之后的“实际区别”来解决。

**理性主义（Rationalism）**

哲学史上一度的主流思想，认为理性是知识的真正来源，能够超越感官证据，获取真理。

**怀疑论（Scepticism）**

哲学立场，认为知识是不确定的，或者终究是无法获取的。

**斯多葛学派（Stoicism）**

哲学学派，和希腊人与罗马人有关，认为要获取智慧，就应该可以去培养对厄运与肉体痛苦的淡漠。

**三段论（Syllogism）**

逻辑学上的立论方法，一个结论由一个大前提和一个小前提支撑，每一个前提的某个元素都和结论有交集。

**目的论（Teleology）**

这个词来自希腊语中的“目的”或“结局”；认为要最充分地理解历史事件，不是去研究其起因，而是去研究其最终的布局或目的。

**功利主义（Utilitarianism）**

十九世纪的哲学思想，用对大多数人福利的影响来评价伦理决定。用杰里米 · 边沁的话说，要照顾到“最多人最大的幸福”。

**证实主义（Verificationism）**

二十世纪早期的哲学学派，认为只有从原则上一定能进行证实的说法才有意义。因此有些证实主义者会认为，严格来讲，宗教、伦理和美学的说法都是毫无意义的。

哲学是知识的童年，
想跳过这个时期的文化是永远长不大的。

——托马斯 • 内格尔

**作者 | [ 英 ] 丹尼尔 · 塔塔尔斯基 Daniel Tatarsky**

演员、作家
代表作品：《神奇酷科学》《你需要知道的一切》

**绘者 | [ 英 ] 达米恩 • 维西尔 Damien Weighill**

阿迪达斯，福特和《卫报》的插画师

**译者 | 何雨珈**

北京外国语大学英语学院笔译专业，香港大学新闻系硕士
曾任成都七中国际部英文教师，自由译者
代表译作：《DK 儿童世界认知大百科》《当呼吸化为空气》《鱼翅与花椒》

多的是你不知道的科学知识

嘭！哲学超有趣

产品经理 | 张　鑫　　特约印制 | 路军飞
装帧设计 | 陈　章　　技术编辑 | 顾逸飞
产品统筹 | 何　娜　　策 划 人 | 吴　畏

图书在版编目（CIP）数据

嘭！哲学史超有趣 / （英）丹尼尔·塔塔尔斯基著 ；（英）达米恩·维西尔绘 ； 何雨珈译. -- 昆明 ： 云南美术出版社， 2018.7
ISBN 978-7-5489-3284-0

Ⅰ. ①嘭… Ⅱ. ①丹… ②达… ③何… Ⅲ. ①西方哲学一哲学史 Ⅳ. ①B5

中国版本图书馆CIP数据核字（2018）第172653号

著作权合同登记号 图字23-2018-009号


First published in the United Kingdom in 2015 by Portico,
an imprint of Pavilion Books Company Limited, 43 Great Ormond Street, London,
WC1N 3HZ

责任编辑：梁　媛
装帧设计：陈　章
责任校对：赵异宝

嘭！哲学史超有趣
［英］丹尼尔·塔塔尔斯基 著；［英］达米恩·维西尔 绘；何雨珈 译

出版发行：云南出版集团
　　　　　云南美术出版社（昆明市环城西路609号）
制版印刷：北京尚唐印刷包装有限公司
开　　本：787mm×1092mm 1/16
字　　数：200千字
印　　张：7.25
印　　数：1-7,000
版　　次：2018年12月第1版
印　　次：2018年12月第1次印刷
书　　号：ISBN 978-7-5489-3284-0
定　　价：46.00元